Über dieses Buch:

Sprachphilosophie und Sprachwissenschaft sind in der Theologie bisher nur am Rande beachtet worden. Hier wird der entschiedene Versuch unternommen, diesem Mangel entgegenzuwirken. W. A. de Pater untersucht das theologische Sprechen mit den Mitteln der analytischen Philosophie der Nachkriegszeit, innerhalb deren I. T. Ramsey eine Sonderstellung einnimmt.

Jede Rede von Gott ist demnach ein in »Erschließungs-Situationen« verwurzeltes Sprechen, das sich nur in Modellen ausdrücken läßt. Die Theologie leistet also keine direkte Beschreibung von Wirklichkeit; sie evoziert Wirklichkeit. Diese Erkenntnis wird auf das Problem des Verhältnisses von Wunder und Wissenschaft angewandt.

In einem zweiten Teil der Untersuchung werden die jüngsten Erkenntnisse der Sprachwissenschaft (Transformationsgrammatik und generative Semantik) mit der Theorie des Handlungscharakters der Sprache konfrontiert. Theologisches Sprechen setzt demnach eine Person voraus, die zu sich selbst gekommen ist und ihre Zukunftserwartung ausspricht.

De Pater analysiert die Eigenart der theologischen Sprache, untersucht ihre Beziehungen zu anderen Sprechweisen und beschreibt ihre empirische Grundlage.

Wim de Pater, geboren 1930, ist Ordinarius für Logik, Analytische Philosophie und Sprachphilosophie an der Universität Leuven/Belgien und außerordentlicher Professor für Analytische Philosophie in Tilburg/Holland.

DE PATER · THEOLOGISCHE SPRACHLOGIK

Wim A. de Pater

Theologische Sprachlogik

Kösel-Verlag München

Mit Unterstützung des Zentrums für Logik, Philosophie der
Wissenschaften und Sprachphilosophie der kath. Universität
Leuven.

ISBN 3-466-20146-2
© 1971 by Kösel-Verlag GmbH & Co., München. Printed in Germany.
Imprimi potest: Breda, 10. Juni 1971, H. L. Hanssen S.C.J., Provinciaal
Nederlandse Provincie. Mit kirchlicher Druckerlaubnis: München, 13. 8. 1971,
GV Nr. 5437/4. Dr. Gerhard Gruber, Generalvikar. Gesamtherstellung: Gra-
phische Werkstätten Kösel, Kempten. Umschlagentwurf: F. P., München,
unter Verwendung eines Photos von Herbert Spencer, London.

INHALT

Wenn heutzutage ein Buch erscheint, sollte man ein »Gruppenphoto« des Autors machen. Denn fast keiner kann mehr als Einzelgänger arbeiten. Das trifft auch bei mir zu. So haben mich die wöchentlichen Zusammenkünfte von Linguisten und Logikern in Leuven, Winter 1971, mindestens dazu angeregt, das dritte Kapitel zu schreiben. Dr. Hans Hollenbach S.J. hat ohne Zögern meiner Bitte zugestimmt und das erste Kapitel sachkundig übersetzt. Er hat meinen Dank noch entgegennehmen können. Kurz nachher ist er tödlich verunglückt. Mit mir bedauern viele sein zu frühes Verscheiden. Mein Mitbruder, Pater Joseph Kohn S.C.J., hat trotz seines schwerbesetzten Lehrprogramms das zweite Kapitel übersetzt und mich während unserer wiederholten Gespräche zu Präzisionen, die es im holländischen Original nicht gab, gezwungen. Ihm sei hier meine besondere Erkenntlichkeit ausgesprochen[1]. Es dürfte sicher auch Dr. Ian T. Ramsey nicht auf dem Photo fehlen. Denn im letzten Trimester seines Professorates in der Philosophie der christlichen Religion, Herbst 1966, war er mein Tutor. Er hat mir eine Methode beigebracht, von der ich hoffe, daß sie auch anderen hilfreich sein wird. In seiner Person scheinen nicht nur verschiedenartige Fähigkeiten vereinigt zu sein (in Cambridge war er Mathematikdozent, in Oxford Philosophieprofessor, und jetzt ist er anglikanischer Bischof von Durham), sondern auch die besten Traditionen der englischen Philosophie (besonders der analytischen, aber auch der platonisierenden idealistischen) zu einer Synthese zu kommen, die man als einen »erweiterten Empirismus« bezeichnen könnte.

Im dritten Kapitel knüpfe ich mehr an Austin und an die Linguistik an. Das erklärt auch den etwas anderen Charakter dieses Kapitels; es versucht ja auch andersartige Fragen

---

[1] Auch Dr. E. Bartsch vom Kösel-Verlag gilt mein besonderer Dank. Er hat mein Deutsch (im 3. Kapitel) an vielen Stellen verbessert und auch in den beiden ersten Kapiteln die Aussagekraft des Textes öfters spürbar erhöht.

zu beantworten. Denn es kann schon sein, daß religiöse Sätze einen Sinn haben (Kap. 1 und 2): das läßt aber die Frage noch offen, weshalb man solche Sätze tatsächlich ausspricht. Allerdings wird dieses Problem erst im letzten Paragraphen erörtert. So kann ich mir vorstellen, daß man das dritte Kapitel »rückwärts« liest. Nur Paragraph 6 scheint im Zusammenhang dieses Buches seine direkte Relevanz zu haben. So bald man aber etwas tiefer nachzudenken anfängt, kommen Fragen (wie etwa, ob ein Glaubensbekenntnis immer wahr sei), die im 4. und 5. Paragraphen erörtert worden sind und wofür die Paragraphen 1 bis 3 die nötigen Hintergründe liefern. Weil man am besten mit der Problemstellung anfängt und diese umfassender als die rein theologische ist, habe ich die gegebene Reihenfolge behalten. Denn eine meiner Hauptthesen ist wohl, daß Theologie kein isoliertes Sprachspiel ist: sie steht mit vielen anderen Redeweisen in Verbindung.

Auf eine Bibliographie wurde verzichtet. In bezug auf Ramsey möge das Quellen- und Abkürzungsverzeichnis genügen. Für das Wunder und für die performative Sprache sei auf die erste Anmerkung zum 2. beziehungsweise zum 3. Kapitel und im allgemeinen auf das Personenregister hingewiesen.

Leuven, im Sommer 1971 *Wim de Pater*

I

SINNVOLLES UND SINNLOSES SPRECHEN ÜBER GOTT

Weder Philosophie noch Theologie sind ein »Sprachkurs für Fortgeschrittene«. Ihre Sprachspiele sind autonom, das heißt, sie haben ihre eigenen Gesetze und stehen in einem eigenen Zusammenhang. Sie sollen nicht die gewöhnliche Umgangssprache ersetzen oder diese etwa verbessern. Sobald nämlich ein Sprachgebilde aus dem einen Zusammenhang in einen anderen übernommen wird, wird seine Struktur und Bedeutung verändert. Macht man sich das nicht klar, dann nimmt man einer bestimmten Sprechabsicht ihren eigentlichen Sinn. Darauf beruht der alte Witz über einen Jungen, der nicht wußte, wo der Apennin liegt, und dessen Vater darauf antwortete, daß er auch nie wisse, wo er seine Sachen lasse. Hier wurde der geographische Zusammenhang übersehen.

Offensichtlich reden wir über Gott[1] in einem bestimmten Zusammenhang, in einer Sprache, die sich von derjenigen unterscheidet, mit der wir Tische und Stühle beschreiben oder das Wetter voraussagen. Wird das vergessen, dann verliert das Sprechen über Gott seinen religiösen Bezug; es wird dann – vom religiösen Standpunkt aus gesehen – leer, sinnlos. Die Gefahr ist groß, daß man diesen eigenen Zusammenhang nicht beachtet, weil das theologische Reden dem Wortgebrauch nach stark dem Reden in anderen Zusammenhängen gleichen kann. Muß man z. B. den Satz »Maria wurde in den Himmel aufgenommen« als Parallele verstehen zu dem Satz »Maria ging in die Küche«? Die Frage erscheint zunächst lächerlich; aber der Unterschied zwischen beiden Aussagen fällt weniger auf, wenn solche Sätze nicht so unmittelbar wie hier nebeneinanderstehen.

Jedoch ist es nicht so sehr unsere Absicht, eventuelle Fehler im theologischen Sprachgebrauch herauszufinden, als vielmehr sehen

---

[1] Mit »Sprechen über Gott« ist hier im weiteren Sinne jedes theologische Sprechen gemeint, insofern es sich immer auf Gott und sein Heilswirken bezieht; es schließt also das Sprechen der Gläubigen als solcher (innerhalb des Theismus) sowie die Sprache der ganzen spekulativen Theologie (einschließlich ihrer nächstliegenden Voraussetzungen) ein.

zu lassen, welche Wirkung die theologische Sprache hat: was der Sinn des Sprechens über Gott ist (die negativen Folgerungen kann man selbst ziehen). Es handelt sich hier um eine Frage, der man sich in England mit seiner stark linguistischen Tradition seit etwa zwanzig Jahren (wie mir scheint, unter anfänglichem Einfluß von John Wisdom) mit großem Interesse zugewandt hat. Die dabei gebräuchliche analytische Methode könnte auf den ersten Blick wie Verbalismus aussehen; tatsächlich aber geht die Untersuchung tiefer, wie Robert Franck mit Bezugnahme auf Ryle und Austin anmerkt: »Wenn man sich der Sprache zuwendet, dann deshalb, um die Welt zu verstehen«[2]. Statt nun im allgemeinen zu beschreiben, was »man« dort über unsere Frage denkt, scheint es mir fruchtbarer und richtiger zu sein, einen einzigen Autor soviel wie möglich selbst zu Wort kommen zu lassen. Linguistische Analyse läßt sich nicht zusammenfassend darlegen; man muß sie selbst nachvollziehen. Die Wahl fiel auf Ian T. Ramsey, weil dieser – wie mir scheint – uns am meisten zu sagen hat. Wo es notwendig ist, wird der Gedankengang weiter ausgeführt, jedoch nicht ohne daß ich mir in vielen und bereichernden Gesprächen, die ich mit ihm haben durfte, Klarheit darüber verschaffte. Wo das nicht geschah, ist das durch die zögernde Formulierung »vielleicht« und dergleichen gekennzeichnet. Selbstverständlich trage ich selbst – in theologischer und linguistischer Hinsicht – die volle Verantwortung für die Beurteilung von Ramseys Methode.

Auf diese Weise möchte ich einigermaßen der Aufforderung entsprechen, die H. G. Hubbeling an die Theologen richtete: »Die analytische Methode (inspiriert durch Wittgenstein II) erweist sich auch für die Religionsphilosophie und Theologie besonders fruchtbar, wofür die verschiedenen Werke von Ian T. Ramsey, P. van Buren, W. F. Zuurdeeg und anderer Zeugnis geben. Wenn die christlichen Kirchen ihre Botschaft für die moderne Welt verständlich machen wollen, dann werden sie diese moderne Philosophie zur Kenntnis nehmen müssen, und sie müssen dann zugleich in der Lage sein, die Verkündigung in die Sprache der analytischen Philosophie zu übersetzen. Vielleicht kann sie dann

---

[2] Revue de Métaphysique et de Morale 71 (1966), 258

in den Kreisen der exakten Wissenschaften besser verstanden werden«[3].

1. Das sprachlogische Glaubensbekenntnis von I. T. Ramsey

Einer der Herzöge von Newcastle träumte einmal, daß er im Parlament eine Rede hielt, und als er wach wurde, merkte er, daß es tatsächlich so war. Von dem Augenblick an stand er persönlich hinter seinem Sprechen – im Unterschied zu der Zeit, bevor er wach wurde. Die Zuhörer konnten von der ganzen Rede sagen: »Er (oder: der edle Lord) spricht«, aber nur ein Teil dieser Rede konnte vom Lord selbst exakt beschrieben werden als »Ich spreche«. Das Bedeutungsvolle einer Situation der Verantwortlichkeit (der Entschluß, auf den sich die Lehre vom freien Willen konzentriert) findet tatsächlich seinen Ausdruck im »ich«, geht jedoch verloren durch die objektiven Phrasen von einem »er« oder »der Lord«. »Ich« besagt mehr als die Objektsprache es tut: Es wird gebraucht, wenn wir frei entscheiden. In einem solchen Augenblick wird der transzendente Charakter der Person demjenigen enthüllt, der entscheidet: Er weiß sich als etwas *mehr* als das Beobachtbare (F 22–23)[4]. Von dieser Logik des Wortes »ich« ausgehend, kann man auch sinnvoll von Unsterblichkeit und Ewigkeit sprechen (besser als mit dem Wort »Seele«, besonders wenn man diese als eine Art Batterie von ungemein langer Dauer auffaßt; vgl. CE 46–48).

Wenn man Professor Ramsey nach seiner Methode fragt, antwortet er gewöhnlich: »Es war einmal...«, und dann folgt eine Anekdote wie die oben erzählte. Das hängt mit seiner Grundauffassung zusammen, daß unsere gewöhnliche Sprache der Komplexität solcher Situationen, wie es Freiheit und Religion sind, tatsächlich gerecht wird (M 46, F 5, 26). Diese Grundauffassung ist der Schlüssel für sein Denken. Ein entsprechendes methodologisches Bekenntnis Ramseys ist in seinem Buch »Freedom and

---

[3] Inleiding tot het denken van Wittgenstein (= Denkers, Hoofdfiguren van het menselijk denken, 8). Assen (Born) [2]1969, 36–37.
[4] Für die hier und im folgendem verwendeten Sigla vgl. das Abkürzungsverzeichnis.

Immortality«, und zwar in der 14. Schlußfolgerung, zu finden. Denn es heißt dort einerseits, daß Metaphysik das ausdrücken soll, was nicht »gesehen« werden kann; der Sinn metaphysisch-theologischer Aussagen werde nie richtig erfaßt, wenn man sie nicht in irgendeiner »disclosure-Situation«[5] gründet, das heißt in einer Situation, die Beobachtbares und mehr als Beobachtbares, was man sieht und was man nicht sieht, enthält. Andererseits, so heißt es aber weiter, ist die gewöhnliche Sprache derartig reich an Schattierungen, daß man in dieser Sprache geschickt über das, was sich da nicht sehen läßt, sprechen kann (F 152). Liebe für die gewöhnliche Sprache brauche also nicht zu einer Verneinung der Metaphysik zu führen, und Eintreten für eine Metaphysik bedeute noch nicht, daß man sich für eine dem gewöhnlichen Menschen verborgene, unwirkliche und finstere Welt einsetze[6].

---

[5] Nach vielen Gesprächen mit deutschen Kollegen bin ich zu der Überzeugung gekommen, daß »disclosure« schwer zu übersetzen ist. Wörtlich heißt es »Erschließung«, aber es gehört dazu noch das Überraschende des »Aufblitzens«. Als Übersetzung ist auch »Enthüllung« nicht befriedigend, weil dieses Wort zuviel an einen Orakelspruch denken läßt. In diesem Kapitel wird deshalb »disclosure« meist unübersetzt als technischer Ausdruck verwendet, und erst nach und nach wird »Erschließung« als deutsche Übersetzung eingeführt.

[6] Wörtlich heißt es in F 152: Behind the arguments lie at least 3 convictions: 1) that ordinary language, like ordinary situations, if it is ordinary enough to extend to the Promenade at New Brighton, road accidents, disasters at sea, marriage, nicknames and the children's toys, exhibits such diversity as argues for the possibility of metaphysics, i. e. for the possibility of some language used aptly about what is »unseen« (and what will still be »unseen« tomorrow, whenever tomorrow is).
2) that no logical structure will be rightly assigned to a phrase in metaphysical theology unless it grounds that phrase in a disclosure-situation which includes observables and more than observables, what is seen and what is unseen. In other words, here is a necessary, though not a sufficient, condition for a phrase to be metaphysical.
3) that many puzzles and problems arise from logical misallocations, and that controversy is pointless unless and until the logic of the various claims is agreed. This is the case, for example, with the problem of free will, of freedom versus omnipotence, of the doctrine of the Last Things.
None of these convictions is in itself startling or novel, but at least they register a protest against two popular misconceptions: that those with an intense affection for ordinary language must necessarily deny metaphysics, or that those who defend metaphysics must necessarily trade in occult realms and shadowy worlds. Which means that the book has been fighting on two

Es ist tatsächlich Ramseys ständige Sorge, überlieferte metaphysische Begriffe auf ihren empirischen Grund zurückzuführen; sein »zu den Sachen selbst« heißt: »Laßt uns zurückkehren zu dem Felsen, aus dem sie (die metaphysischen Sätze) gehauen sind: eine *disclosure-Situation* (eine Situation der ›Erschließung‹), das heißt, wo man ›Objekte‹ hat *und mehr;* die Art der Situation, in der alle Metaphysik, alle Religion und – in einer andersartigen (›second-order‹) *disclosure* – sogar der christliche Glaube selbst gründet (F 148)«. Überlieferte metaphysische Argumente sind für Ramsey deshalb auch Techniken, durch die man Situationen von »mehr als Objekten«, »mehr als öffentlichem Verhalten«, aufzurufen versucht (F 70). Derartige Situationen sind die empirische Verankerung für jedes überempirische Sprechen. Es kommt darauf an, offen zu sein für den semantischen Reichtum der Sprache; wenn ein einziges Wort verschiedene Bedeutungen hat, suche man nicht rationalistisch nach einem einzigen Superbegriff, nach einer einzigen übergreifenden (und möglichst noch subsistierenden) Bedeutung, sondern nach der Verschiedenheit der Zusammenhänge, in welchen dieses Wort (z. B. »Macht«) gebraucht wird (A 62–63).

2. Methodologischer Zusammenhang

Ramseys Betonung der disclosure (die »Erschließung«, die mit Intuition oder Einsicht gleichzustellen ist: MJ 166, A 73) ist – ungeachtet der Tatsache, daß das Wort ausschließlich bei ihm als technischer Ausdruck fungiert – lediglich symptomatisch für eine allgemeine Akzentverschiebung (sowohl auf dem Kontinent wie in England) von der *ratio* zum *intellectus,* vom diskursiven Denken zum Sehen (lassen). Indem Ramsey seine Aufmerksamkeit dem tatsächlichen Sprachgebrauch in verschiedenen Zusammenhängen widmet, bekennt er sich unzweideutig zu den Nachfolgern des »zweiten« Wittgenstein (nämlich der der »Philo-

---

battle-fronts at once; and it is a sobering reflection that not many wars have been won under such a necessity.

sophischen Untersuchungen«), die sich – in dauernder Beschäftigung mit den Weisen, wie die Sprache tatsächlich funktioniert – darauf verlegen, die Philosophie einerseits zu reinigen von Fehlern und Problemen, die durch Sprachmißbrauch entstehen, und andererseits versuchen, sie zu erhellen. Da Ramsey mehr das zweite als das erste Ziel betont, mit anderen Worten: weil für ihn metaphysische Verwirrung und Merkwürdigkeit (»oddness«) des Sprachgebrauchs eher ein Anreiz zu näherer Besinnung als eine Gelegenheit zur Therapie sind (er nennt seine Methode deshalb auch lieber logische Analyse als logischen Kritizismus, RL 142), gehört er weniger zur Gruppe der strengen Wittgensteinianer (die im alltäglichen Leben gekennzeichnet sind durch die Treue zu einer Person, manchmal bis in den Akzent und in die Gebärden hinein, wie Wisdom, Anscombe, Lewy, Dummet und in Amerika z. B. Malcolm, Bouwsma, Miss Ambrose und Lazerowitz) als zu der Gruppe, die man gewöhnlich mit dem Ausdruck »Ordinary Language Group« oder »Oxford Philosophy« andeutet (gekennzeichnet durch eine mehr systematische Weise des Vorgehens und durch Treue zu einer Technik: Ryle, Austin, Strawson, Warnock, Hart und Urmson usw.). Die »functional analysis« (basierend auf »meaning is use«), die diese beiden Gruppen zu einem »logischen Empirismus« vereinigt, ist die Nachkriegsnachfolge der »verificational analysis«, des Neupositivismus oder des »logischen Positivismus«, in der die Bildtheorie des »Tractatus« durch Wiener Wissenschaftler in das Verifikationsprinzip übersetzt wurde. Studierte man in den dreißiger Jahren die Sprache wie ein Techniker, der seine Instrumente überprüft und verbessert, so ist seit dem Krieg in England (wir sprechen nicht von der formalistischen Schule in Amerika) die Sprache mehr das Objekt für klassifizierende Biologen. Damit bleibt man innerhalb der »Linguistic Analysis«, einer Bewegung, die – wie bekannt ist – durch B. Russell, G. E. Moore und den »ersten« Wittgenstein (nämlich den des »Tractatus«) in Gang gebracht wurde und die sich stark verband mit der englischen Vorliebe für das Konkrete, die mit einer vorgegebenen Sprache besser umzugehen weiß als mit vagem Denken und die lieber Bedeutungen analysiert als große Synthesen schafft; das um so mehr, als man davon überzeugt ist, daß Philosophie im Unterschied zu exakten Wissenschaften doch keine »neuen« Informationen bietet.

Der logische Empirismus geht davon aus, daß zwei Weisen des Sprechens, von denen jede typisch in einen anderen Zusammenhang hineingehört, auch verschiedene Sprachspiele darstellen, die eine eigene »Logik« haben. Diese läßt sich nur dadurch begreifen, daß man diese Sprechweisen zurückführt auf die Erfahrung, auf die Situation, in der sie normal gebraucht werden. Man bedient sich dabei häufig der Technik eines Paradigmas: Wo ein bestimmter Wortgebrauch umstritten ist, gibt man ein Beispiel an, bei dem dieser Wortgebrauch als allgemeingebräuchlich anerkannt ist. Wer z. B. stark unter dem Eindruck der Atomphysik steht, kann sich die Frage stellen, ob das Wort »fest« in Verbindung mit »festem Körper« richtig gebraucht werden kann, um z. B. auf ein Brett hinzuweisen. Ist das nicht eher ein luftleerer Raum mit hier und da einem Atom? Der paradigmatische Gebrauch von »fest« ist jedoch gerade gekennzeichnet durch die Beziehung zu Mauern und Tischen; der Gebrauch von »fest« gibt in diesen Zusammenhängen dem Wort seine Bedeutung. Nennt man diese Anwendung des Wortes unrichtig, dann kann »fest« in keinem einzigen Fall gebraucht werden; also wäre es ein sinnloser Ausdruck. Aber das ist es nicht, denn wir unterscheiden bestimmte Körper dadurch von Flüssigkeiten und Gasen. So hat das Wort »fest« seinen eigenen Zusammenhang und Gebrauch, der ein anderer ist als der der elektronischen Mikroskopie, dem er also auch nicht widerspricht.

Betont man weniger den richtigen Gebrauch, sondern bezieht man sich mehr direkt auf Sinn und Bedeutung selbst, gebraucht man häufig eine Technik, die man mit F. Ferrés übergreifendem Ausdruck als »einen bezeichnenden Vergleich« (»significant comparison«) umschreiben könnte. Weiß man z. B. in einem bestimmten Fall nicht, ob eine Eigenschaft x zur Bedeutung eines Ausdrucks gehört, dann kann man dadurch einen Hinweis finden, daß man der Bedeutung nachgeht, die dieser Ausdruck in anderen verwandten Zusammenhängen hat. Wenn man die Nichtmitteilbarkeit religiöser Erfahrungen vorbringt, um ihr die objektive Beziehung abzusprechen (oder um sie zu verteidigen), dann kann man diese Nichtmitteilbarkeit vergleichen mit derjenigen einer Farberfahrung, wodurch deutlich wird, daß der Ausdruck bedeutet: Eine Erfahrung A ist nicht mit Ausdrücken einer Erfahrung B zu beschreiben; von der objektiven Beziehung ist dabei gar nicht die Rede[7]. Eine Variante, die Ramsey häufiger gebraucht, besteht darin, daß man die Wirkung eines Sprachspiels beleuchtet durch die Wirkung eines zwar anderen, aber doch verwandten Sprachspiels.

Der Gebrauch eines Paradigmas und die Sinndeutung durch einen Vergleich hängen zusammen wie Gebrauch und Bedeutung, und sie sind deshalb oft schwer zu unterscheiden. Ramseys Paradigma für den religiösen Sprachgebrauch ist die Situation, in der man von »Beobachtbarem und mehr« spricht (es ist vor allem die Situation, in der man sich seiner selbst bewußt wird). Ramsey nimmt seine Vergleiche häufig aus der Sprache der Humanwissenschaften (vgl. M 22–47).

Wenn auch unsere Umgangssprache ausreichend nuanciert ist, um Metaphysik zu ermöglichen, so ist doch ihre Wirkungsweise nicht immer deutlich. Darum ist eine gewisse Technik wünschenswert. Dem Wortlaut nach gleiche Sätze können doch ganz verschiedene logische Strukturen haben. Stellt man neben den Satz »dieser Tisch ist zwei Meter lang« den anderen »diese Äpfel sind gut«, dann scheint das Prädikat in beiden Fällen eine objektive Eigenschaft zu beschreiben, obwohl tatsächlich der zweite Satz nicht deskriptiv zu sein braucht, sondern unter Umständen nur eine Gefühlsäußerung ist (»ich finde diese Äpfel lecker«) oder eine Ermunterung (»du mußt diese Äpfel doch essen«). Das ist das Wissen um die Tiefengrammatik oder das »Stromaufwärtsdenken«, wozu Wittgenstein und Waismann die Philosophen

---

[7] Vgl. F. Ferré, Language, Logic and God (London, Eyre and Spottiswoode 1962), 64–65 und 107–108. Übrigens unterscheide ich mich von Ferré, der »significant comparison« auf S. 65 folgendermaßen beschreibt: »Wenn ein Satz unklar ist, dann ist es oft eine vernünftige Technik, seine Rolle, die er erfüllt, mit anderen Sprachformen – oder anderen Tätigkeiten –, die die gleiche Aufgabe erfüllen, zu vergleichen.« Wie kann ich jedoch bei einem undeutlichen Ausdruck wissen, welche »Rolle« oder »Aufgabe« er erfüllt? Ferrés Beschreibung kann nur sinnvoll sein, wenn damit gemeint ist, daß jemand, der die Bedeutung eines Ausdrucks kennt, jemandem eine Auslegung gibt, der die Bedeutung nicht kennt. Es ist jedoch nicht wahrscheinlich, daß die vorliegende Methode ein so ausschließlich pädagogisches Ziel hat.

aufforderten. Schon vor ihnen hatte B. Russell auf diesen wichtigen Unterschied zwischen verbaler und logischer oder struktureller Gleichheit hingewiesen. Das inzwischen klassisch gewordene Beispiel ist die Analyse von zwei dem Wortlaut nach sich ähnelnden Sätzen: »Löwen sind wirklich« und »Löwen sind gelb«. Der erste Ausdruck sagt, daß mindestens für ein x zutrifft: Löwe gilt von x; der zweite Ausdruck sagt, daß für jedes x zutrifft: Wenn Löwe von x gilt, dann gilt auch gelb von x. Die große Gefahr bei der religiösen Sprache besteht darin, daß man die ihr eigene Logik vergißt, indem man nur auf ihre verbale Übereinstimmung mit anderen Sprechweisen achtet. Dem Wortlaut nach ist die Aussage »Christus sitzt zur Rechten des Vaters« der anderen ähnlich: »Peter sitzt rechts vom Vater«. Es ist die Hauptsorge Ramseys, diesen Schein von Gleichheit zu entlarven, weil man sonst vollständig an der religiösen Sprechweise vorbeigeht. Theistische Sprache ist eine eigene Art des Sprechens, hat also ihre eigene (nichtformale) Logik, was z. B. einschließt, daß der Aufweis oder die Widerlegung solcher Aussagen auf andere Weisen geschieht als bei ihren verbalen Parallelen.

Es genügt jedoch nicht, festzustellen, daß religiöse Sprache ihre Besonderheit hat; der logische Empirismus ist eine Herausforderung dazu, sich klarzumachen, worin diese Besonderheit besteht, das heißt anzugeben, in einer wie gearteten Situation diese Sprache verankert ist. Ramsey betrachtet seine Arbeit deshalb auch als hermeneutisch, wenn er auch diesen Ausdruck nicht gebraucht, sondern statt dessen Lockes Ausdruck »under-labouring«. Sein Interesse erstreckt sich auf das, was hinter allen christlichen Aussagen steckt (vgl. OBS 27–28), vor allem, in welcher Situation religiöse Sprache beheimatet ist.

Diese zweite Frage hängt mit der ersten zusammen. Will man eine religiöse Situation einigermaßen begreifen, dann muß man einsehen, daß es dabei mehr gibt als nur Empirisches (im Sinne von Gegebenheiten, die mit Instrumenten registrierbar sind). Diese Einsicht kommt zustande durch eine disclosure, eine Erschließung. Aber dann ist es auch deutlich, daß religiöse Sprache, in einer disclosure-Situation beheimatet, nicht einfach deskriptiv gelesen werden darf, als wäre sie eine Sprache, die nicht beabsichtigt, disclosure-Situationen hervorzurufen, sondern die Welt –

oder was sonst – adäquat zu beschreiben (ähnlich wie man sich nur beschreibend verhält, wenn man sagt: »Blaues Kupfersulfat wird durch Erhitzen weiß«, IC 109). Theologie beginnt deshalb auch mit einer Beschreibung von disclosure-Situationen (RL 53).

3. »Disclosures« und Modellsprache

Ein Lehrer zeichnet eine Anzahl regelmäßiger Vielecke mit stets größer werdender Seitenzahl auf eine Tafel, und zwar so, daß die Ecken gleich weit von einem festen Punkt entfernt liegen. Die Anzahl der Seiten wächst und wächst. Was ist das Ergebnis? Die einfachste Antwort ist: eine Häufung von Vielecken, und das ist zweifellos richtig. Aber ist das alles? Es kann nämlich sein – Sicherheit, daß so etwas geschehen wird, gibt es aber nicht –, daß in irgendeinem Moment jemand von etwas anderem »getroffen« wird, daß er etwas anderes hinter oder neben den Vielecken sieht, daß ihm etwas anderes enthüllt (»disclosed«) wird. Weiß dieser Betrachter, was ein Kreis ist, dann wird er sagen: »Aha, ein Kreis« (die Enthüllung ist tatsächlich ein »Aha-Erlebnis«). Aber weiß er nicht, was ein Kreis ist, und es ereignete sich dennoch eine disclosure, dann wird er für das Enthüllte irgendein anderes Symbol x gebrauchen für dasjenige, auf das die Vieleckübung hinführte. Will er danach artikuliert über x sprechen, d. h. x in einen Zusammenhang bringen, dann wird er das vernünftigerweise in der Sprache von Vielecken tun, denn diese führten ihn zu dem Enthüllten. Man tut das z. B. nicht mit Ausdrücken wie »Demokratie«, und würde jemand sagen: »Aha, der Strand von Miami«, dann war er auch nicht vernünftig; denn der Zusammenhang, um den es hier geht, ist kein geographischer, sondern ein planimetrischer. Bekommt so jemand später einen Traktat über Kreise in die Hand, dann wird er schnell begreifen, daß eine enge Verwandtschaft zwischen einem Kreiszusammenhang und dem x-Zusammenhang besteht, und auf dieser Grundlage wäre es eine vernünftige Empfehlung, das »x« als »Kreis« zu lesen (T 91, RL 78). Man könnte nach dieser Übung sagen: »Ein Kreis ist ein regelmäßiges Vieleck mit einer unendlichen Anzahl von Seiten«, wie man auch sagen kann: »Ein Fünfeck ist ein regelmäßiges Vieleck

mit fünf Seiten«. Diese zwei Sätze sind dem Wortlaut nach gleich, aber der vom Kreis hat eine logische Sonderheit. Gliedern wir sie auf, dann entsteht nämlich folgendes Bild:
5 (regelmäßiges Vieleck) = Fünfeck.
Unendlich (regelmäßiges Vieleck) = Kreis.
»Fünf« und »unendlich« sind mit andern Worten Funktoren oder Operatoren, die genau sagen, was man mit dem regelmäßigen Vieleck tun muß. Ein Funktor ist ein Befehl, wie z. B. das mathematische Wurzelzeichen oder das Pluszeichen[8]. Aber es ist ein ganz anderer Befehl, fünf Seiten zu ziehen, als eine unendliche Anzahl; das erste kann man ausführen, so daß fünfseitig als Ergebnis beschrieben werden kann; das zweite jedoch nicht. Die Situation ist also:
5! (regelmäßiges Vieleck) → »Fünfeck«
Unendlich! (regelmäßiges Vieleck) → ↓ »x« oder »Kreis«.
Die zweite Formel sagt also: »Höre nicht auf, von jeder Seite des regelmäßigen Vielecks zwei zu machen, bis eine disclosure stattfindet«, wobei man »x« oder »Kreis« gebraucht, um auf das zu verweisen, was sich enthüllt.
Hiermit sind – neben dem Begriff der disclosure – zwei andere Grundbegriffe eingeführt: Modell und »qualifier«. Die disclosure verleiht der religiösen Sprache ihre Objektivität und ihre Bezeichnung (»reference«); das Modell (und vor allem das Sprechen in vielen Modellen) ermöglicht es, artikuliert über das Enthüllte zu sprechen, nachdem es zur disclosure führte (wozu der »qualifier« Hilfe leistete). Ein Modell ist eine uns vertraute Situation, die dazu gebraucht werden kann, eine andere Situation zu erreichen, mit der wir nicht so vertraut sind (RL 69). Bei einem Modell ist das Eigenartige, daß es – gebunden an einen einzigen sprachlichen Zusammenhang – gleichsam zur Linse wird, mit der man einen anderen Zusammenhang sieht (M 54). Es gibt die Wegrichtung an, auf der die disclosure erreicht wird. In gewissem Sinne ist es dann auch angebracht, nachträglich über das Enthüllte mit Ausdrücken des Modells (oder mehrerer Modelle) zu sprechen, mit deren Hilfe das Enthüllte erreicht wurde. Ein Kreis

---

[8] Man denke dabei an die Etymologie von »Axiom«: etwas, das gefordert ist (zu tun).

ist kein Vieleck, und er darf auch nicht so genannt werden, aber er kann wohl angedeutet werden als dasjenige, was erreicht wird, wenn man die Ecken unendlich vervielfältigen würde – ein Zusammenhang, der es gestattet, von Flächen und Linien, von Gebietsabgrenzung usw. zu sprechen. Der »qualifier« (in diesem Fall »unendlich«) erinnert daran, daß das Sprechen über das Enthüllte logisch gesehen merkwürdig ist in bezug auf das Sprechen, das der disclosure vorausging (daher »Kreis« oder »x« an Stelle von »Vieleck«, RL 79–80). Beachtet man die Funktion des Funktors (qualifier), bevor er zur disclosure geführt hat, dann ist er »eine Anweisung, die einen besonderen Weg zur Entwicklung dieser Modell-Situationen vorschreibt« (RL 70), ein eingebauter Stimulus, um die Entwicklung eines Modells nie zum Abschluß zu bringen. Da es – neben der Ermöglichung der Artikulierung – die Funktion des Modells ist, zu einer disclosure zu führen, gibt der »qualifier«, gerade als Funktor eines Modells, an, daß es sich um ein Mysterium handelt, das mit deskriptiven Ausdrücken nicht adäquat zu fassen ist (M 60). Modelle (und zwar qualifizierte) und disclosures gehören zusammen wie artikuliertes Reden und Einsicht. Das eine ohne das andere würde leeres Gerede sein, das zweite ohne das erste könnte blinder Enthusiasmus sein (oder echte Mystik: der Mystiker kann nicht über seine Erfahrung sprechen, weil es sich dabei um eine disclosure handelt, die nicht durch ein Modell zustande kam, T 88).

Ein anderes Beispiel von disclosures wäre folgendes. Es gibt einen offiziellen Empfang: konventionelles Lächeln, Ankündigungen im Stil von »Dr. Jansen, Direktor der Bauernkreditbank«, »Prof. Dr. Pietersen« usw. – objektiv beschreibende Namen, Prestige-Aushängeschilder. Aber plötzlich entdeckt jemand den alten Schulkameraden, den er seit dreißig Jahren nicht mehr gesehen hat: »Kukie!« Wo nur unpersönlicher Umgang herrschte, bricht hier plötzlich das Persönliche durch, es ereignet sich eine disclosure. »Kukie« reicht als Beschreibung der enthüllten Persönlichkeit des früheren Studenten, der immer so gern Kuchen aß, gar nicht aus, wie das stets bei Spitznamen der Fall ist. Zum Beispiel heißt der gewichtige Direktor einer Gasfabrik zu Hause »Old Smell«; das ist ein symbolischer Ausdruck für das, was diese Person für die Familie gerade mehr bedeutet als in seinem unpersönlichen Direktors-Verhalten (F 65–66). Bei der Kreis-disclosure sagen wir »es dämmert«, bei einer echten Personbegegnung heißt es »das Eis bricht«; in beiden Fällen jedoch kommt die »Tiefe« der Situation zum Vorschein. Man kann die Frage stellen, was derartige Situationen mit Religion zu tun haben. J. Collins[9] wies jedoch darauf hin, daß das Kreisbeispiel bereits von Nikolaus von Cues in nicht ganz unähnlicher Weise in einem religiösen Zusammenhang gebraucht wurde. Man mag sich vielleicht auch daran erinnern, daß sich in der Geschichte das Reden vom Kreis häufig mit dem Reden über die Vollkommenheit verband (der Kreis als eine Idee, die nie erreicht wird: der ideale Kreis, oder die runde Kreisform als die am meisten vollendete Form). Persönliche Beziehungen können kosmische Dimensionen annehmen. So sagt man: »Er (oder sie) ist alles für mich«. Oder man denke an das Liebeslied: »You, you are the salt in my stew, the cream in my coffee, the sugar in my tea« (P 172).

Zusammenfassend können wir eine disclosure-Situation folgendermaßen umschreiben: Jede beginnt damit, daß man sich auf erfahrbare, kontrollierbare Tatsachen beruft (manchmal viele, manchmal nur wenige). Diese Gegebenheiten sind derart, daß sie eine Einsicht hervorrufen (die Situation gerät in Bewegung, nimmt Tiefe an, es hat geklingelt, es beginnt zu dämmern, das Eis bricht, es geht jemandem ein Licht auf, der Groschen fällt, RL 20 u. 62). Was dabei enthüllt wird, ist nicht völlig unabhängig von verifizierbaren Gegebenheiten, reicht aber doch weiter[10]. Die Sprache schließlich, mit der man über das Enthüllte spricht, ist merkwürdig, verglichen mit der Sprache, die zur Enthüllung führte: sie hat eine andere (innere) Logik. Fragt man Ramsey, worin diese Merkwürdigkeit genau besteht, dann antwortet er: »Ich meine dies: es war einmal ...«, und dann folgt wieder eine Anekdote, das Hervorrufen einer konkreten Situation.

---

[9] God in Modern Philosophy, London (Routledge) 1960, 6 und 413
[10] Diese kontextuelle Abhängigkeit ergab sich für Matrosen in Portsmouth, als sie in den Unterrichtsraum kamen, eine Figur an der Tafel sahen und sagten: »He, die Venus von Milo«, worauf der unterrichtende Offizier trocken antwortete: »Verzeihung, das Kanalsystem von Portsmouth«. Ähnlich das oben erwähnte Beispiel von der Küste von Miami bei der Vieleckübung.

4. Die Möglichkeit religiöser Sprache

Jedes Reden über Gott (wie wir Ihn meinen, nämlich transzendent) ist dadurch gekennzeichnet, daß man sich Ihm als demjenigen nähert, der alles Beobachtbare übersteigt (also nur in einer disclosure gegeben ist) und der doch damit verbunden ist. Das sind jedoch auch – obwohl auf eigene Weise – die Kennzeichen des Menschen in seiner subjektiven Dimension: auch er übersteigt das Beobachtbare (ist also nur in einer Selbst-disclosure gegeben) und ist doch damit verbunden. Auf dieser logischen Verwandtschaft zwischen dem Wort »Ich« und dem Wort »Gott« beruht die Möglichkeit einer theistischen Metaphysik. An beiden Polen der religiösen Situation (die nämlich gekennzeichnet ist durch eine subjektive Transzendenz parallel zu einer objektiven Transzendenz und als Antwort auf sie) steht denn auch eine Tautologie als Paradigma. Beide Weisen von Transzendenz können nämlich gerade als solche nicht einfach deskriptiv wiedergegeben werden. Das deskriptiv leere, aber evokativ reiche »ich bin ich« des Menschen ist das Paradigma für die subjektive Seite der religiösen Situation wie das göttliche »Ich bin Ich« (oder eine andere Tautologie, z.B. »Gott ist Liebe«) es für die objektive Seite davon ist. Da ich, mich selbst in der Welt als Subjektivität erfahrend, mir selbst am meisten nahe bin, ist das Wort »ich« mit seiner soeben umschriebenen Logik *das* Paradigma und selbst der ursprüngliche Ort jedes Sprechens über Gott.

Das alles bedarf einer näheren Erklärung, was ja der Sinn der folgenden Darlegungen sein soll, und zwar durch Rückführung auf Ramseys Gesichtspunkte. Dazu werden wir die Behauptungen der Reihe nach überprüfen. Zunächst die These, daß Gott als der alles Beobachtbare Übersteigende nur in einer disclosure gegeben ist. Das bedeutet, daß keine Redensart, die im Raum-Zeitlichen steckenbleibt, ein angemessenes Sprechen über Gott darstellt (F 114). Das ist auch die Suggestion, die vom tatsächlichen Sprechen über Gott ausgeht. Indem wir zunächst das vom logischen Standpunkt mehr getarnte Sprechen von »Einheit«, »Vollkommenheit« u. ä. außer Betracht lassen, können wir hier auf Attribute hinweisen, die die negative Theologie Gott zuerkennt (»unveränderlich«, »unendlich« u. ä.) sowie auf andere traditionelle Redeweisen wie »erste Ursache« und »allmächtig«[11]. Das sind nämlich typische Sprachmodelle, in denen die Anweisung des »qualifier« wirksam ist, indem er nämlich darauf hinweist, daß das Beobachtbare in einer disclosure durchbrochen werden muß. Nehmen wir das letzte Beispiel: »Gott ist der Allmächtige«.

Als Sprachmodell gründet »mächtig« auf einer empirischen Tatsache; der qualifier »All-« entwickelt es in einer Weise, daß daraus eine typisch religiöse Situation entsteht und die logische Besonderheit der Anwendung des Wortes »Gott« deutlich wird. »Allmächtig« ähnelt grammatikalisch dem Ausdruck »übermächtig«, geht darin jedoch nicht auf; das letzte galt z. B. von de Gaulle (oder er dachte es sich so), das erste nicht. Das Wort »mächtig« ist ein Modell und beschreibt eine Situation, mit der wir vertraut sind. Wir denken bei dem Wort »Macht« z. B. an die staatliche Macht. Diese kann vollständig beschrieben werden durch objektive Ausdrücke wie Geldstrafe, Gefängnis, Hinrichtung, also raum-zeitlich. Aber dann bemerken wir plötzlich, daß diese Macht begrenzt ist: »Die Feder ist mächtiger als das Schwert.« Also betrachten wir, um ein Modell für größere Macht zu finden, die Macht eines Schriftstellers, z. B. eines Charles Dickens. Dickens wäre aber mächtiger gewesen, wenn er ein anziehenderes sittliches Leben geführt hätte. Was ist die Macht des Mustergültigen? Es ist die Macht der Pflicht. Doch mächtiger als die Pflicht ist die Liebe. Welche Liebe ist das? Die unerschöpfliche! Hier müßte das Gespräch immer weiter gehen, denn eine ans Ende kommende Erzählung kann nicht über eine unerschöpfliche Liebe sprechen. Die Anweisung des »qualifier« in der Silbe »all-« begleitet uns bei der Überprüfung der Beispiele von immer größerer Macht und Liebe, wobei wir immer weiter vorangehen können bis hin zu der Situation, in der es (so hoffen wir) »dämmert«, indem nämlich eine Situation entsteht, in der wir das Wort »Gott« gebrauchen dürfen (F 57–58). So legt uns unsere Sprache nahe, daß Gott als der alles Beobachtbare Übersteigende nur in einer disclosure geahnt wird. Dennoch ist Gott mit allem Beobachtbaren verbunden. »Gott« integriert alle wissenschaftlichen und beschreibenden Aussagen als umfassende Voraussetzung für jedes Sprechen über das Univer-

---

[11] Zu diesen drei Weisen des Sprechens über Gott vgl. RL, Kap. II

sum. Metaphysik und Theologie erstrecken sich als Ordnungsentwürfe auf die ganze Welt unserer Erfahrung; jede ist ein sprachlicher Grundriß, der sich auf das Universum bezieht, um dieses zu verstehen. Bezeichnend ist dabei, daß alle Ortsbeschreibungen organisiert sind in Beziehung zu einer einzigen Schlüsselposition, anders ausgedrückt: An alle ist ein und derselbe Maßstab anzulegen (P 154 und 172).

Für den Theisten ist »Gott« das Ziel- oder Schlüsselwort (»apex word«), eine Vorgegebenheit, die nicht zu hinterfragen ist, eine letzte Erklärung, sowohl für seinen Unterscheidungsakt, der seine charakteristische Besonderheit durch die Abhebung von der Objektsprache erlangt, als auch für sein totales Engagement (RL 53; vgl. F 48–49). Diese nach einem Maßstab vorgehende Einzeichnung von einem einzigen Punkt aus (oder besser: auf einen einzigen Punkt hin) geschieht u. a. durch die Gottesbeweise (auf die wir noch zurückkommen werden).

Das Wort »ich« ist – wie wir bereits sagten – logisch verwandt mit dem Wort »Gott« (RL 42–53). Auch das Ich ist nur in einer Art disclosure gegeben, wofür das Pflichtbewußtsein das Paradigma ist. Das bedeutet, daß jede objektive Beschreibung immer unzureichend bleibt, um das zu beschreiben, was meine Innerlichkeit, meine Subjektivität ist und was durch das Wort »ich« bezeichnet wird. Auch die disclosure-Situation selbst ist nicht adäquat durch den Ausdruck »Assoziation« wiederzugeben. Zwar ist eine psychologische Beschreibung hier nie unangebracht, aber sie ist nicht adäquat[12]. Vieles an uns ist tatsächlich objektiv: Unser Sprechen kann auf Band aufgenommen werden, unser Aussehen kann fotografiert werden, und unser Verhalten kann beschrieben werden. Unsere Selbsterkenntnis gründet zum Teil auf derartigen verifizierbaren Kriterien. Aber keine dieser Gegebenheiten, so zahlreich und verschieden sie auch sind, ist notwendig oder ausreichend für eine Wiedergabe meiner selbst. Ich kann eine andere Stimme bekommen, mein Verhalten kann sich ändern, mit den Jahren verändert sich meine Gestalt. Aber immer bleibe ich selbst, unterschieden von anderen. Dieses Selbstbewußtsein entsteht in

---

[12] Wäre das nämlich wohl der Fall, dann ergäben sich verschiedene Schwierigkeiten, worauf RS 36–39 hinweist.

Wechselwirkung mit einer objektiven Gegebenheit, für die die Pflicht das Paradigma ist. (Erziehung ohne Appell an das Gewissen ist deshalb vom Persönlichkeitsstandpunkt aus gesehen bereits unheilvoll.) So kam David, der Urias töten ließ, um dessen Frau Bethsabee zu nehmen, zu sich selbst, als Nathan ihm die Geschichte eines reichen Mannes erzählte, der große Herden besaß, aber das Lamm des Nachbars nahm, um seine Gäste zu bewirten (2 Sam 12, 1–7). Eine ganz objektive Erzählung, auf die David ganz objektiv reagierte, als wäre er der Vorsitzende des Nürnberger Kriegsgerichts: »Dieser Mann muß sterben.« Es war ihm noch kein Licht aufgegangen. Aber dann kommt Nathans Appell: »Du bist dieser Mann.« Und der Groschen ist gefallen, es vollzieht sich eine disclosure. Die »logische« Übung, derer sich Nathan bediente, war folgende: Mit Hilfe einer Parabel Ereignisse so zu beschreiben, daß diese in Verbindung mit Davids Verhalten die Enthüllung einer transzendenten Pflicht hervorrufen konnten, wodurch David zu sich selbst finden konnte (P 167, RS 42–43). Und er kam zu sich selbst, obwohl es möglich gewesen wäre, daß er nicht zu sich selbst kam oder daß er zwar zu sich selbst kam, aber seine Pflicht von sich gewiesen hätte. David entdeckte sich selbst vor Gottes Antlitz, und – wie immer – entstand sein subjektives Selbstbewußtsein in Konfrontation mit dem objektiven Innewerden eines sittlichen Appells. Wiederum ist keine der Gegebenheiten ausreichend, um zu beschreiben, was in dem Augenblick der Selbst-Erschließung geschah, als David sich seines alle Beschreibung übersteigenden »Ichs« bewußt wurde. Naturwissenschaftliche, psychologische und soziologische Beschreibungen sind zu begrüßen, aber sie erfassen den Menschen nicht erschöpfend. Der Unterschied zwischen Subjekt und Objekt ist nicht durch Objekt-Sprache wiederzugeben. Grammatikalisch scheint der Satz »Ich löste das Rätsel« identisch zu sein mit dem Satz »Er löste das Rätsel«, so daß viele meinen, damit sei alles gesagt. Was jedoch in der zweiten Aussage fehlt, ist die Subjektivität, die nur in einer Selbsterschließung gegeben ist, wodurch erst Aussagen in der ersten Person möglich werden (und diese Art Aussagen sind Voraussetzung für Aussagen in der dritten Person).
Die Beschreibung dieser Subjektivität kommt nicht weiter als zu

der sinnvollen Tautologie: »Ich bin ich.« Wenn Herr Schmidt gewöhnlich um halb acht aufsteht und um 8.04 Uhr mit dem Zug nach Stuttgart fährt, können wir ihn verwundert fragen, wie es kam, daß er gestern bereits um vier Uhr aus den Federn und um halb fünf munter mit dem Fahrrad unterwegs war. »Hat jemand Sie dazu verpflichtet?« Er antwortet: »Nein, ich tat es freiwillig.« Wir könnten nun weiter auf ihn eindringen und sagen: »Ja, aber Sie stehen doch nicht einfach so früh auf ohne Grund! Was hatten Sie denn für einen Grund?« Schmidt könnte darauf antworten: »Ich war fischen.« Der Dialog kann sich nun etwa folgendermaßen weiterentwickeln: »Aber ich stehe doch auch nicht so früh auf, um zu fischen.« Schmidt: »Aber ich bin nun einmal so aufs Fischen versessen.« Darauf meine Frage: »Warum?« Er antwortet: »Fischen ist nun einmal Fischen« (die erste – noch objektive – Tautologie). Mein Einwand lautet dann: »Dann übt das Fischen doch wohl auf Sie mehr Anziehungskraft aus als auf mich.« Worauf Herr Schmidt die Diskussion abbricht mit einer subjektiven Tautologie: »Ich bin nun einmal ich« (RL 45–46).

Wie man nun von dem Satz »Dies ist meine Pflicht« den Schritt vollzieht zu dem Satz »Dies ist Gottes Wille«, ist nicht die Frage[13], die uns jetzt beschäftigt, sondern die Frage nach dem Ich, das das Wahrnehmbare übersteigt und also nur in einer Selbst-disclosure gegeben ist. Sehr häufig geschieht das in einer Pflichtsituation, oder allgemeiner: in einer Situation, in der ich zu mir selbst komme im Angesprochensein von einem – das sei betont – objektiven Appell: etwas »ergreift« mich, es »beherrscht« mein Verhalten oder »spricht« mich an, es »packt« mich, »sagt« mir viel (RL 40). Damit ist noch nicht behauptet, daß Gott auf der objektiven Seite des Appells steht. Ein Humanist wird z. B. von »absoluten Werten« sprechen, durch deren Anspruch er zu sich selbst kommt. Wohl wird die objektive Seite dieser »Selbsterschließung« auch hier kosmische Dimensionen annehmen und auf Tautologien hinauslaufen. Die meine Innerlichkeit in Anspruch nehmende Pflicht z. B. übersteigt alles Kosmische: »Hier stehe ich, ich kann nicht anders.« Insofern ist der Appell »Pflicht ist Pflicht« Hinweis auf eine bedeutungsvolle Tau-

---

[13] Vgl. das nächste Kapitel S. 84–87

tologie. Für einen Humanisten wird z. B. der Sadismus deshalb zu verabscheuen sein, weil er unmenschlich ist; und würde man ihn fragen, warum man nicht unmenschlich handeln darf, würde er schließlich antworten:»Mensch ist eben Mensch.« Obwohl das Wort »ich«, gerade weil es in einer disclosure verankert ist, nicht glattweg beschreibend ist, kann es doch verbunden sein mit einer willkürlichen Anzahl deskriptiver Worte. Man kann sagen »Ich bin zornig« oder »Ich bin ein Sanguiniker«, »Ich bin ein Malariafall«, »Ich bin Dozent« usw. Das Wort »ich« integriert alle diese logisch verschiedenen Sphären, alle diese verschiedenen Zusammenhänge (P 167).

Wenn Metaphysik auf eine evokative oder aufrufende Weise wirkt, indem sie zwar bei beobachtbaren Situationen ansetzt, jedoch deren Beobachtbarkeit durchbricht, dann kann man verstehen, daß das Wort »ich« das Fundament jeder Metaphysik ist. Denn »ich« ist das nächstliegende und grundlegende Paradigma der Transzendenz in Verbindung mit dem Wahrnehmbaren (B 18). Ich entdecke jedoch mein »Selbst« nur in Antwort auf einen objektiven Appell. Für den Theisten geschieht es letztlich durch Gott, daß der Mensch zu sich selbst gerufen wird in dem Maße, als das Universum für ihn zum Leben gelangt, Tiefe gewinnt und er dann mit seinem ganzen Einsatz darauf antwortet. Dies ist die Stelle, an der die Gottesbeweise ihre Bedeutung haben.

Die traditionellen Gottesbeweise müssen durch ihre evokative Sprache dem Universum Tiefe verleihen, es zum Leben bringen (P 172–173). Genauer gesagt erfüllen sie eine doppelte Funktion:

1. Sie sind technische Mittel, um eine kosmische disclosure hervorzurufen; also eine Situation, die subjektiv und objektiv transzendent ist, in der wir objektiv etwas entdecken, das mehr ist als das, was gesehen wird, mehr ist als verifizierbare Gegebenheiten und worauf wir subjektiv mit einer charakteristischen Hingabe antworten;

2. Sie geben uns einige Winke in bezug auf den logischen Charakter des Wortes »Gott«: wie wir über Gott sprechen können in Beziehung zu dem, was objektiv in der disclosure-Situation erschlossen wurde, die die empirische Grundlage ist für jedes theo-

logische Sprechen (vgl. IC 110, CP 55, MI 22). Im besonderen zeigen die Gottesbeweise, wenn man sie im »formalen Modus« (Carnap), also rein syntaktisch, liest, die logische Stellung des Wortes »Gott«. Für den Glaubenden kann es keine Rede von »Veränderung«, von »Sein«, von »Zweckmäßigkeit« usw. geben, ohne daß »Gott« vorausgesetzt ist. Man kann die Frage stellen, inwieweit diese Deutung nicht die Struktur der Gottesbeweise mißversteht. Wenn nämlich die Konklusion eine Evokationstechnik ist und ebenso die Prämissen, liegen sie dann nicht auf der gleichen Ebene? Was besteht dann noch für ein Zusammenhang? Vielleicht ist die Lösung in der folgenden Richtung zu suchen: Je mehr Modelle unserem Sprechen über Gott zugrundeliegen, um so besser (T 84, CD 83); es trifft auch zu, daß einige Modelle besser sind als andere (T 84, 88–92). Die Funktion der Prämissen kann dann sein, daß sie uns empfänglich machen für ein anderes (und vielleicht besseres) Modell. Wir haben dann nämlich schon gelernt, das Universum auf bestimmte Weise zu sehen. Außerdem begreifen wir so den Zusammenhang der Modelle besser. Dann verhalten sich die Prämissen zur Schlußfolgerung wie die Einleitung einer Darlegung zu deren Schluß: wie man mit Recht sagen kann, daß eine Schlußfolgerung aus ihren Prämissen folgt, so ist auch der Schluß einer Darlegung erst annehmbar nach ihrer Durchführung, und zwar durch die Darlegung selbst. Das heißt jedoch nicht, daß die »Gottesbeweise« nicht in einem Zusammenhang mit einem Beweis ständen, obwohl es richtig ist, daß keine Garantie dafür besteht, daß ein Modell (also auch ein »Gottesbeweis«) Erfolg hat; es ist nicht sicher, daß sich eine kosmische disclosure ereignet. Dieser Beweiszusammenhang wird jedoch erst deutlich werden, wenn wir vom Test der »empirischen Tauglichkeit« (»empirical fit«) sprechen. Hier möge es genügen, darauf hinzuweisen, daß Ramseys Deutung dem nicht so ganz fernsteht, was wir über die Gottesweise z. B. bei G. J. Oltheten-C. G. Braun lesen[14]: »Um Mißverständnisse zu vermeiden, kann man anstelle von ›beweisen‹ auch von ›aufzeigen‹ sprechen. Auch der Gebrauch des Wortes ›ausweisen‹ an Stelle

---

[14] *G. J. Oltheten – C. G. Braun*, Hij die is, Nijmegen (Dekker en van de Vegt) 1963, 88

von ›beweisen‹ kann in einem bestimmten Zusammenhang vorteilhaft sein, insofern dadurch die besondere Art des Gedankengangs gut zum Ausdruck kommt … Bei all dem darf aber nicht vergessen werden, daß auf überzeugende Weise gezeigt werden kann, daß *in* der Bejahung der endlichen Wirklichkeit die Gottesbejahung eingeschlossen ist.« Der Kosmos ist mit andern Worten eine disclosure-Situation; eine andere Frage ist die Garantie für das Enthüllte. In demselben Buch heißt es auf der folgenden Seite: »Es ging nicht um eine Erklärung Gottes, sondern um eine Erklärung der uns unmittelbar bekannten Dinge. Von diesen Dingen lesen wir ab, wie sie unmöglich auf sich selbst gestellt bestehen können und wie sie verweisen [›qualified model‹] auf ein geheimnisvolles, transzendentes und unendliches Wesen.« – »So auch … bleibt die Schöpfung für uns der einzige Weg, der zu Gott führt.« – »Gott steigt an unserem Horizont auf, weil uns in einem gewissen Augenblick die Welt als Schöpfung offenkundig wird [›disclosure‹]. Die Kenntnis von Gott fällt zusammen mit der Kenntnis von der Welt, insofern diese auf eine sie transzendierende Wirklichkeit verweist.«

5. Die Frage der Zuverlässigkeit religiöser Sprache

Es ist deutlich, daß Ramsey der Intuition gegenüber dem Schlußverfahren den Vorzug gibt. Seine Anekdoten (die eine disclosure-Situation hervorrufen) nennt er »die besten Argumente« (F 26); es gibt Dinge (z. B. was »Wahrheit« ist), die man nicht formulieren kann, sondern nur versteht in Beziehung zu einer Situation, in der es »Objekte und mehr« (»objects and more«) gibt (F 73–74). Was Ramsey anstrebt, ist eine Metaphysik, die etwas sehen läßt, die sich mehr um das Konkrete als um das Abstrakte kümmert (CP 50). »Ich schlage vor, daß die tatsächliche Berechtigung für ›ich‹ im besonderen und metaphysische Worte im allgemeinen in einer nicht-folgernden Bewußtheit gegeben wird, die konkreter ist als die begriffliche Kenntnis. Denn die begriffliche Kenntnis, wie Hume es so richtig gesehen hat, liefert nur ›objektive‹ Daten und muß immer damit enden, daß man versucht, im Falle jedes einzelnen von uns ein öffentliches (›public‹) ›ich‹ an die Stelle eines einzigartigen ›ich‹ zu setzen. Überdies ist es bemerkenswert, daß Berkeley eine (Humesche) Theorie über ›public ideas‹ mit einer Lehre von merkwürdigen ›Begriffen‹ (›notions‹) abschließen mußte, um die Sprache zu erklären, die wir bedeutungsvoll in bezug auf die Tätigkeit von uns selbst und die äußere Welt gebrauchen« (MI 19).

Die Gottesbeweise heißen ausdrücklich »Techniken zum Hervorrufen von Erschließungen« (»techniques to evoke disclosures«, P 172). Aber ist dann das theistische Sprechen noch vernünftig? Ist der Gottesglaube so etwas wie »Schäfchen in den Wolken sehen«? Gibt es ein Kriterium, mit dessen Hilfe man Gläubige von Mondsüchtigen unterscheiden kann, und kann Ramsey mit seiner »Ich sehe was, was du nicht siehst«-Ideologie ein solches Kriterium bieten? Nach Feuerbach fallen in der Religion das Bewußtsein vom Objekt und das Selbstbewußtsein zusammen. Ist das nicht auch bei Ramsey der Fall, bei dem die Selbst-disclosure der Ausgangspunkt des theistischen Sprechens ist? Ist schließlich alles nichts anderes als Projektion?

Zuerst sei zugegeben, daß keine disclosure absolut garantiert werden kann in bezug auf ihre objektive Beziehung (reference), also auch nicht ein auf disclosures gründender Theismus (CD 68). Für einen ethischen Humanisten wie B. Russell ist das Letzte, was ihm die Welt enthüllt, mit dem Ausdruck »absolute Werte« zu beschreiben (F 43–46). Wenn wir Ramseys Theorien annehmen, dann wird letztlich sowohl der philosophische wie der gläubige Theismus eine Vorentscheidung sein, allerdings keine unvernünftige (was wir anschließend hoffen zeigen zu können). Das mutet wohl weniger optimistisch an als die Lehre, nach welcher »auf überzeugende Weise gezeigt werden kann, daß *in* der Bejahung der endlichen Wirklichkeit die Gottesbejahung eingeschlossen ist«[15]. Die Frage ist übrigens zu kompliziert, als daß sie in wenigen Zeilen behandelt werden könnte, aber es dürfte eine Ernüchterung für jeden metaphysischen Enthusiasmus sein, wenn »überzeugende Argumente« nicht jeden zu überzeugen vermögen. Man kann den Grund dafür schwerlich in der verwerflichen Mo-

---

[15] *Oltheten-Braun*, a. a. O.

ral eines Atheisten suchen. Liegt dem Vertrauen in die Argumente vielleicht auch eine Vorentscheidung zugrunde, nämlich daß die Welt erklärbar sein muß (eine jedenfalls vernünftige Vorentscheidung übrigens)? Man hat auch schon gesagt, daß die Ansprechbarkeit für Gottesbeweise eine bestimmte Kultur und Erziehung voraussetzt. Da ist etwas Wahres daran. Ein Gottesbeweis aus der Ursächlichkeit wird z. B. einem Menschen wenig sagen, wenn man unter Ursache einzig und allein nur Aufeinanderfolge versteht. Muß man überhaupt erst jemanden zum Kausalitätsprinzip bekehren? Obendrein gelten strenge Beweise nur innerhalb des Systems, in dem sie zur Anwendung kommen: Die Theorie über das axiomatische System hat uns belehrt, daß man dieselben Aussagen auf verschiedene Weise ordnen kann, so daß etwas, was in dem einen System als beweisend angesehen wird, in einem anderen bewiesen werden muß.

Ramsey hat in seinen Grundauffassungen verschiedene Entwicklungen durchgemacht, so z. B. in bezug auf disclosure und (qualified) model. In bezug auf disclosures unterscheidet er in einer späteren Phase die endliche von der kosmischen disclosure; in bezug auf qualified model erscheint später (neben der eindeutig bleibenden linearen Entwicklung) eine verwickeltere Struktur, nämlich die katalysierende Wirkung eines bereits erfüllten Modells. Hier erscheint es angebracht, noch auf eine andere Entwicklung bei Ramsey aufmerksam zu machen, die er in bezug auf das Modell durchgemacht hat. In früheren Werken, so in »Religious Language«, sah er die Modelle noch als ziemlich homogen an. Doch seit »Models and Mystery« macht er, in Anlehnung an die Entwicklung in den Naturwissenschaften, einen scharfen Unterschied zwischen einem Maßstab-Modell (»scale-model«) und einem disclosure-Modell. Maßstabmodelle sind die getreue Wiedergabe eines Originals in einem bestimmten Maßstab, ähnlich wie die Modelleisenbahn unseres kleinen Neffen die genaue Nachahmung der Wagen der Bundesbahn ist. Ausgehend von der Tatsache, daß man von ein und demselben Ding mehrere Modelle hat – Welle und Korpuskel für das Licht –, sah man ein, daß die Sache nicht so einfach liegt, und man hat darum eine andere Art Modell eingeführt: nicht mehr die Reproduktion eines Originals, sondern viel abstrakter, nämlich die Reproduktion der Struktur eines Originals (Isomorphie, M 2–10). Es herrscht also Gleichheit und ein (mehr als Größe-)Unterschied. Scholastisch ausgedrückt: Die analogia inaequalitatis, die eine Univocität ist, ist ersetzt durch eine strenge Verhältnisanalogie. Dadurch behält die Wirklichkeit ihren geheimnisvollen Charakter. In den anthropologischen Wissenschaften, so in der Psychologie und Soziologie, hat es lange gedauert, bis man erkannte, daß man in Modellen sprach, und noch länger, bis man erkannte, daß dies disclosure-Modelle waren. Ramseys entscheidende Bedeutung liegt vielleicht darin, daß er dem Theologen zum Bewußtsein bringt, daß auch er mit disclosure-Modellen arbeitet (M 58 u. 22). Solange er das nicht tut und (implizite) mit Maßstabmodellen arbeitet, kann er Sätze wie z. B. »Gott ist unser Vater und Hirte« herrlich artikulieren und beschreiben: ein Paradies. Aber leider ein Schlaraffenland (»a fool's paradise«, M 5–6)! Ein Bild- oder Maßstabmodell bietet jedoch weniger Möglichkeit zu rechtmäßigem Artikulieren, als man anfangs denkt. Wegen der Aussage »Sein Gesicht ist blattgrün« darf man nicht zusätzlich fragen, wann sein Gesicht die Herbstfarben annimmt. In dieser Hinsicht ist ein disclosure-Modell (z. B. das Alter als »Herbst des Lebens«) unendlich viel fruchtbarer (M 48–49).

Wenn nun der Theologe mit disclosure-Modellen arbeitet, folgt unmittelbar, daß er das annähernd adäquate Sprechen erst dann erreicht, wenn er möglichst viele Modelle verwendet; sie sind ja eine »inspirierte Einfachheit« (M 45), eine einzige oder einzelne Eigenschaften heraushebend. Man denke an die große Anzahl der Parabeln Jesu für das Himmelreich. In der Frage nach der Angemessenheit eines auf disclosures und Modellen gegründeten Theismus stellt Ramsey deshalb auch als ersten Punkt in den Vordergrund, daß man sich zugleich auf viele Modelle stützen und dann von da aus möglichst kohärent sprechen soll (T 84–85). Man entwickelt ein Modell immer, indem man sein Augenmerk auf andere Modelle richtet: »Ist es damit zu vereinbaren?«; und je mehr das Modell diesen »consistency-test« besteht, um so zuverlässiger wird es sein (T 89–90). Das Ziel der Entwicklung eines solchen Modells ist, »eine weitere kontextuelle (dem Zusammenhang entsprechende) Darstellung der Situation zu geben, die sie mit vielen anderen Arten der disclosure verbindet« (näm-

lich dem Sprechen in Ausdrücken wie »Seiendes«, »Ursache«, »Ziel«) [16].
Wenn jedoch der Status des Modells sich ändert (es ist kein Bild mehr), dann ändert sich auch die Weise seiner Verifikation. Auf die anthropologischen Wissenschaften angewandt heißt das, daß die Verbindung zwischen Modell und beobachtbaren Tatsachen nicht deduktiv-voraussagend ist, sondern eher die Verbindung einer empirischen Tauglichkeit (»empirical fit«). Von der Aussage »A hat B gern« kann man nichts eindeutig ableiten, was für ein Experiment (im Sinne strenger Verifikation oder Falsifikation) geeignet wäre. Sucht A auf jede nur mögliche Weise das Glück von B zu fördern, so kann das z. B. noch aus einem Streben nach Gunst geschehen. Am besten jedoch kann man »A hat B gern« fundieren durch einen Test der empirischen Tauglichkeit: Man überprüft die Haltbarkeit dieser Aussage, indem man untersucht, in wieweit sie als übergreifende Charakterisierung eines komplexen und variationsreichen Verhaltensmusters anzusehen ist (M 38). Die Aussage oder Theorie ist mehr ein Schuh, der passen muß, der allerlei klimatologischen und geologischen Umständen am besten entsprechen muß.
So ist es auch mit der christlichen Theologie. Da spricht man von Gott als König und Richter, als Vater und Freund, als Hirt und als Töpfer. Am zuverlässigsten ist das Sprechen, das kohärent ist mit einer möglichst breiten Reihe von Modellen. Man wird also von Gott sprechen als sorgend, führend, prüfend, heilend, reinigend, als Autorität besitzend und Hingabe und Antwort fordernd. Doch zugleich wird man sich auch unpersönlicher Modelle bedienen wie Fels, Festung und Schild. Da das Modell »Beschützer« und »Führer« mehr Möglichkeiten zum Sprechen bietet als etwa der Ausdruck »Töpfer«, kann man auch über Gott durch die Ausdrücke »Beschützer« und »Führer« zuverlässiger sprechen als durch den Ausdruck »Töpfer«. Doch muß man auch die Grenzen dieser Sprechweise sehen und eine Sprechweise suchen, die die Modelle so miteinander verbindet, daß ihre Beschränkungen aufgehoben werden. Wir gelangen dadurch wahrscheinlich in

---

[16] *I. T. Ramsey,* Some Further Reflections on Freedom and Immortality, in: The Hibbert Journal 59 (1960/61), 354

einen Zusammenhang von Liebe und Aktivität, also zu der Überzeugung, daß man zuverlässiger über Gott sprechen kann, wenn man Ihn als »Liebe« oder »lebendiger Gott« bezeichnet, ein Sprechen, das in Zusammenhang mit einer Vielfalt von Modellen entwickelt wird. Immer aber muß dieses Sprechen an allen Punkten der Weltsituation überprüft werden, ohne daß diese Überprüfung den Charakter einer wissenschaftlichen Verifikation annimmt. In der disclosure »erklärt das Objekt seine Objektivität, indem es uns aktiv entgegentritt« (M 58). Beim Sprechen mit Hilfe von kosmischen disclosures ist dieses Objekt, diese Bezeichnung stets ein und dieselbe (CD 82), wenn auch das Objekt noch vage ist: »x« als Unendlichkeitskorrelat zum Universum. Das Sprechen mit Hilfe von vielen Modellen in Richtung auf dieses eine Objekt bedeutet, daß die Modelle sich gegenseitig abschleifen. Gott ist derjenige, der enthüllt wird, wenn man den springenden Punkt der Modelle in ihrer Verbundenheit in den Blick bekommt (M 59). Ein »Person«-Modell ist besser als z. B. das des »Hirten« oder »Töpfers«, weil es ausdrücken kann, was diese letzten Modelle sagen können und mehr, so daß das Sprechen von Gott als einer Person das in anderen Modellen Ausgedrückte in sich aufnimmt (T 89–90), ohne daß diese anderen Modelle aufhören müßten; man bleibe bei der Vielfalt von Modellen. Ein Sprechen, das die Überprüfung seiner Kohärenz übersteht, kann dennoch unzureichend sein, wenn man es dem Test der empirischen Tauglichkeit (»empirical fit«) unterwirft. Hier drängt sich z. B. das Problem des Bösen auf, wenn man von Gott als »Liebe« spricht. Man wird da das Ganze im Auge behalten müssen. Der Theologe ist ein Detektiv, der überprüft, welche Theorie am besten auf die Tatsachen paßt; und wenn die Person, um die es geht, eine geheimnisvolle Person ist, dann muß das Geheimnis in die Theorie aufgenommen werden.

Es könnte dennoch voreilig scheinen, daß wir das durch die kosmische disclosure Enthüllte mit »Gott« bezeichnen. In diesem Zusammenhang sei daran erinnert, wie es dazu kam, nach der Vieleck-Übung von einem »Kreis« zu sprechen. Jemand, der nie etwas von einem Kreis gehört hätte, würde über das Enthüllte wie von einem »x« sprechen; und wollte er dieses x artikulieren und einordnen (»kontextualisieren«), dann wäre das Reden von

»Vielecken« eine gute Annäherung, ja die einzig vernünftige. Fände er eines Tages einen Traktat über den Kreis, dann würde er schnell einsehen, daß zwischen dem Sprechen über einen Kreis und dem Sprechen über x eine enge Verwandtschaft besteht. Auf dieser Grundlage wäre es eine vernünftige Empfehlung, x als »Kreis« zu lesen. Ähnlich verhält es sich mit den kosmischen disclosures. Wenn sich das Universum, die Natur enthüllt, man hätte jedoch nie von Gott gehört, dann wäre es vernünftig, von »x« oder von der »Natur« zu sprechen, oder anders gesagt: Man würde von x mit Ausdrücken derjenigen Modelle sprechen, die zur kosmischen disclosure führten. Dieses Sprechen würde um so vernünftiger sein, je mehr jedes Modell auf seinen Zusammenhang mit anderen Modellen hin überprüft ist, um sie darin aufzunehmen. Dann wird man feststellen, daß eine Sprache entsteht, die der Sprache derer nahekommt, die an Gott glauben (ihre Sprache ist wie der Traktat über den Kreis für denjenigen, der noch nicht von einem »Kreis« gehört hatte). Durch die wachsende Angleichung an diese Sprache wird es dann vernünftig, zu sagen: »Anstelle von ›x‹ lies: ›Gott‹.«

Daß dabei die Selbst-disclosure des Ich eine große Rolle spielt, ist nach allem, was bis jetzt gesagt wurde, wohl deutlich. Für Ramsey setzt jedes Sprechen in der zweiten und dritten Person ein Sprechen in der ersten Person voraus; das gilt selbst für eine so objektive Aussage wie »Dieses Auto braucht 1 Liter Benzin auf 8 km« (BI 180). Sprechen über Gott ist erst möglich von einer Situation aus, in der der Mensch zu sich selbst kommt, ohne daß deshalb die Gottesidee eine Projektion des »ich« ist. Dazu betonte Ramsey die objektive, aktive Seite der disclosure: Etwas trifft uns, spricht uns an. Indem er dieses Objektive artikuliert, mißt der Gläubige sein Sprechen immer an der Wirklichkeit, um Illusionen zu vermeiden und um die objektive Seite seines Bewußtseins sicherzustellen.

So wird der Theismus für die Vernunft annehmbar: Er entspricht dem Prinzip, daß die Bedeutung eines Ausdrucks in seinem Gebrauch zu finden ist, er entspricht dem Kriterium der Konsistenz der Aussagen und – allerdings in abgeschwächter Weise – dem der empirischen Tauglichkeit (T 89–92). Das letzte bedeutet schließlich, daß der Glaube an Gott als die folgerichtigste Deutung und zusammenhängende Artikulierung des objektiven Appells der Situation betrachtet wird, mit anderen Worten: Eine Welterklärung in Verbindung mit Gott erscheint vernünftiger als eine Welterklärung ohne Gott. Noch weniger als der Detektiv wird man hier jedoch überzeugende Argumente liefern können; jedem der verschiedenen Standpunkte liegt eine Vorentscheidung zugrunde.

6. Transzendenz Gottes und Agnostizismus

Der Prüfstein jeder Theologie ist die Transzendenz Gottes. Verschiedene Elemente in Ramseys Lehre stellen diese sicher. »Qualifiers in der religiösen Sprache sind die Worte, die die Transzendenz retten« (CD 79), weil sie uns warnen, daß theologische Sprache nicht einfachhin deskriptiv ist. Die Methode der empirischen Tauglichkeit (»empirical fit«) bewahrt den Theisten vor dem Dilemma der Verifikation (wenn religiöse Aussagen streng verifizierbar sind, ist ihr Inhalt nicht transzendent; wenn sie nicht verifizierbar sind, haben sie keinen tatsächlichen Inhalt). Ramsey betont auch, daß die verwendeten Modelle keine Maßstabmodelle sind, sondern disclosure-Modelle. Und die disclosure selbst, und damit die Transzendenz über das »Gesehene« hinaus, ist noch analog (also selbst wieder ein Modell). Der Weg zu Gott besteht nämlich aus zwei Phasen des Übersteigens: die der endlichen und die der kosmischen disclosure.
Ramsey vertritt einen reineren Transzendenzbegriff als viele seiner Kollegen. Die Betonung der Transzendenz Gottes darf nämlich nicht dazu führen, Gott außerhalb oder oberhalb der Wirklichkeit zu lokalisieren; das würde tatsächlich nicht »honest to God« sein. Die ganze Schwierigkeit mit einem Gott »da oben« ist dadurch entstanden, daß das religiöse Sprechen nicht mehr in einer disclosure-Sprache verwurzelt blieb. Erst in einer säkularisierten Welt sieht man die Glaubensdimension des Sprechens nicht mehr; darum behandelt man die religiöse Sprache rein deskriptiv und vergleicht sie mit anderen deskriptiven Zusammenhängen. Zwangsläufig wird dadurch das religiöse Sprechen sinnlos. Tatsächlich hat das Wort »oben« oder »hinter der Wirklich-

keit« die Wirkung eines »qualifier«, weist also darauf hin, nicht rein deskriptiv vorzugehen, sondern das quantitative Denken (das sich in Abstandsbezeichnungen und körperlicher Lokalisierung äußert) zu durchbrechen (CD 67–72).

Nach PR 152 wird Gottes Transzendenz linguistisch dadurch angedeutet, daß das Wort »Gott« nicht verifizierbar-beschreibend ist, während seine Immanenz in der Tatsache ihren Ausdruck findet, daß »Gott« doch mit den Kategorien des Verifizierbaren zu verbinden ist. Die – weiter oben angeführte – Logik des Wortes »ich« ist unter anderem als Paradigma dieses Paradoxons zu betrachten (PR 157–160; eine etwas andere Entwicklung in RES 51–52).

Jedes Sprechen über einen transzendenten Gott ist ein Seiltanz zwischen zwei Abgründen: zwischen Anthropomorphismus und Agnostizismus. Ramsey neigt sicher nicht zum Anthropomorphismus, dagegen hat er sich abgesichert. Das kommt zusammenfassend in der Warnung zum Ausdruck: »Theologische Sprache ist nicht glattweg deskriptiv.« Es ist Ramseys Absicht, jeden Anthropomorphismus zu bekämpfen. Eher könnte er dem Agnostizismus verfallen, worauf man auch unumwunden hingewiesen hat[17].

Nun ist der Ausdruck »Agnostizismus« weniger beschreibend als bewertend; man deutet damit an, daß jemand sein Wissen nicht anwendet, wo er es anwenden sollte. Ich bin noch kein Agnostizist, wenn ich zugebe, nicht zu wissen (und auch nicht wissen zu können), welches Frühstück Noe an dem Tag nahm, als er in die Arche ging. Ramsey mag gewiß den Eindruck erwecken, als wisse er in religiösen Dingen weniger als mancher andere zu wissen glaubt. Das braucht noch kein Agnostizismus zu sein. Vielleicht ist es nur das Bewußtsein der eigenen Begrenztheit. Die Frage

---

[17] Eine Diskussion über Ramseys Auffassung findet sich in *H. D. Lewis*, Philosophy of Religion, London (The English Universities Press) 1965, 103–111; *N. Smart*, The Intellectual Crisis of British Christianity, Theology 68 (1965), 31–38, 351–352. Darauf ist IC eine Antwort. In demselben Jahrgang von Theology, S. 147–148, erklärt sich E. Mascall mit N. Smart solidarisch. Eine von Ramsey beantwortete Kritik bietet auch *H. D. Lewis*, Freedom and Immortality, The Hibbert Journal 59 (1960/61), 168–177. Ramseys Antwort a. a. O. 348–355: Some Further Reflections on Freedom and Immortality

lautet also, ob das größere Wissen bei anderen wirkliches Wissen ist oder nur Scheinwissen. Am günstigsten dürfte es für den sein, der sein Wissen auf der Analogie aufbaut; denn dadurch ist die umfangreichste Artikulierung möglich, ohne dem Anthropomorphismus zu verfallen. Nun stehen aber manche Kreise der Analogie skeptisch gegenüber. Die Analogie öffnet wohl einen Weg zum Seinsmysterium; es gibt eine Seinsbejahung. Ramsey spricht hier von einer *Einsicht*, die kein Modell ist, sondern dasjenige, was in einer disclosure enthüllt wird (während das Modell dadurch seine Rolle erfüllt, daß es zur disclosure führt). Sowohl für ihn wie für diejenigen, die sich ausdrücklicher auf die Analogie stützen, beginnt aber die Unsicherheit, wenn die Seinsidee, die Einsicht aufgegliedert werden soll. Bei keiner der beiden Richtungen meint man z. B., daß man das Sein und die transzendentalen Eigenschaften in Begriffe fassen könne. In diesem Sinne sind beide »Agnostizisten« (dann ist also der Ausdruck nicht richtig angewendet). Selbst die Aussage »Wir kennen Gott doch wenigstens als den Unkennbaren« wirft die Frage auf, was man dann genau weiß. Gottes Unerkennbarkeit ist die des Reichtums, der Seinswahrheit, der möglichen Unverborgenheit. Das ist aber wieder Artikulierung, von der wir allerdings wissen, daß sie besser ist, als wenn man von Gottes Unerkennbarkeit aufgrund von Armut reden würde, so als gäbe es da nichts zu erkennen. Hätte Ramsey kein Kriterium angegeben, um richtige und falsche Artikulierungen zu unterscheiden, dann könnte der Vorwurf des Agnostizismus begründet sein. Tatsächlich lernten wir sein Kriterium der Kohärenz der Modelle kennen, verbunden mit der Überprüfung der notwendig vielen Modelle an der Welt unserer Erfahrung. Der Gläubige wird sein Sprechen außerdem prüfen können (und müssen) an dem der Glaubensgemeinschaft, in der er steht (etwas, was Ramsey eher voraussetzt, z. B. in CD, als daß er es ausdrücklich formuliert).

Es könnte scheinen, daß die beschriebene, anscheinend nicht-deskriptive Deutung der theistischen Sprache diese des tatsächlichen Inhalts beraubt. Doch ist das nicht notwendig so, wenn es auch wahr ist, daß sich Ramsey einmal verspricht, nämlich in B 18, wo er aus der Tatsache, daß das Wort »ich« keine deskriptive Logik hat, die Folgerung zieht, daß es »performativ«

(mehr oder weniger als Handlung) gebraucht werde. Das ist jedoch eine unbedachte Verbeugung vor Austin, denn die ganze Denkweise von Ramsey widerspricht dem[18]. Das Sprechen über Gott geschieht tatsächlich nicht glattweg deskriptiv, sondern evokativ; und wenn auch Ramsey dieses in MI 19 lieber nicht »kognitiv« nennt, so bringt er es doch in Zusammenhang mit »sich bewußt sein von etwas«, denn er spricht von einer nicht-folgernden Bewußtheit (»a non-inferential awareness«). Die religiöse Situation heißt ständig (z. B. in RL 6, 16, 41 und passim) nicht nur eine totale Hingabe (»total commitment«), sondern auch eine Einsicht, ein besonderer Unterscheidungsakt (»odd discernement«); sie ist eine Antwort auf einen objektiven Appell. Evokativer Sprachgebrauch und tatsächlicher Inhalt werden hier nicht einander gegenübergestellt. Für die Gläubigen ist das Universum zum Leben gelangt, wie ein Kunstwerk, das man vielleicht schon zehnmal gesehen hat, plötzlich zu leben beginnt, etwas hervorruft. Dieses Hervorgerufene ist mehr als das Beobachtbare und kann deshalb nicht in der Sprache des Beobachtbaren, das heißt in rein deskriptiven Ausdrücken wiedergegeben werden. Damit hört es nicht auf, eine Tatsache zu sein. Eine Tatsache ist nämlich eine im Zusammenhang stehende Gegebenheit, so daß man nicht nur von beobachtbaren Tatsachen sprechen kann, sondern z. B. auch von einer philosophischen Tatsache (also im Zusammenhang mit Philosophie stehend). Eine solche Tatsache war für Thomas die Substanz, für Bergson la durée, für Husserl war es die Intention. In diesem Sinne ist die Inkarnation eine christologische Tatsache. Gottes Dasein ist eine bestimmte Art von Tatsache, nicht ganz unähnlich derjenigen meiner eigenen Existenz, insofern sie in einer disclosure gegeben ist (IC 111); es ist eine Tatsache innerhalb eines begrifflichen Schemas (vgl. IC 110). Ramsey spricht deshalb auch lieber nicht von bloßen Tatsachen, denen eine Deutung beigelegt wird (könnte man hier an Bultmann denken?), sondern von bedeutungsvollen Tatsachen, von Tatsachen, die in einer disclosure gegeben und in Zusammenhang gebracht sind (»contextualized«, RL 107–124).

---

[18] Vgl. Ramseys Zurückweisung der Angriffe von Lewis und Smart (zitiert in Anm. 17) und z. B. CD 88–89

Es ist wahr, daß Ramsey der Beweiskraft der Gottesbeweise keine besondere Aufmerksamkeit geschenkt hat. Die Hinnahme eines Beweises besagt jedoch letztlich, daß man dessen Zusammenhang (also das System) anerkennt; und der Grund, warum man ein System anerkennt (wenn man überhaupt ein System anerkennen will) liegt – falls es sich um ein semantisch zu interpretierendes System handelt – darin, daß es am besten mit der Wirklichkeit übereinstimmt. Dann ist man aber wieder bei der Methode der empirischen Tauglichkeit angelangt. Wenn Ramsey den Eindruck erweckt, Agnostizist zu sein, so kommt das zum Teil dadurch zustande, daß er über einzelne Aussagen hinausgreift nach dem Ganzen, in das sie hineingehören.

Noch ein anderes Problem wird durch Ramseys Methode in den Vordergrund gerückt, obwohl es auch bei anderen Autoren auftaucht. Wenn Gott als »unendlich gut« bezeichnet wird, so bedeutet das, daß die Aussagen über die Güte in einer Weise weiterentwickelt werden müssen, daß man herausgelangt aus jenem Zusammenhang, in dem das Wort »gut« gewöhnlich gebraucht wird. Man denke an den vertikalen Pfeil in der graphischen Darstellung eines qualified model (CD 69); es herrscht ein »logischer Abgrund zwischen dem Modell und dem, was die Einsicht enthält«, weil wir nun einmal nicht in Maßstabmodellen, sondern in disclosure-Modellen sprechen (M 59). Die Frage ist dann, was solche Worte wie »gut« in einem theistischen Zusammenhang noch besagen. Ramsey antwortet darauf, daß man unterscheiden muß zwischen einer Intuition (Einsicht) und ihrer Artikulierung; beim ersten ist man sicher, beim zweiten ist man es nicht (OBS 47–50, M 58–60). Auf den Glauben angewandt, heißt das, daß man als Glaubender sicher sein kann, daß jedoch die Theologie nur danach streben kann; der Glaubende und der Theologe verhalten sich ähnlich zueinander wie der Bauer, der das Wetter voraussagt, sich zum meteorologischen Dienst verhält (OBS 74). Auch hier drängt sich wieder ein Vergleich mit der Kunst auf. Wenn man erklären soll, warum etwas Kunst ist, wenn man also artikulieren muß, was man in einem Kunstwerk »sieht«, muß man sich stets mit außer-ästhetischen Kategorien behelfen (Harmonie, Farbenverteilung usw.).

Bisweilen hat man jedoch den Eindruck, daß Ramsey, wenn er

die Objektivität des Enthüllten, der Einsicht behauptet, eine unbewußte Identifikation vollzieht zwischen dem »als-objektiv-Erfahren« und dem Erfahren des Objektiven. Ramsey würde tatsächlich diesem Subjektivismus verfallen, wenn er nicht die Überprüfung der Kohärenz der Modelle und der empirischen Tauglichkeit forderte. Dadurch entsteht aber wieder ein neues Problem: wenn (was nicht für jeden der Fall zu sein scheint) der Theismus am besten paßt als Erklärung für unsere Erfahrung und dies seine Wahrheitsgarantie ist, verliert er seine privilegierte Position, sobald sich eine bessere Erklärung findet. Welche Sicherheit gibt es dafür, daß das nicht passiert? Spielt auch in der Philosophie der Glaube eine Rolle, so daß man mit Jaspers von einem philosophischen Glauben sprechen muß [19]? Ramseys Hinweis auf Joseph Butler im ersten Kapitel von »Religious Language« scheint das tatsächlich einzuschließen. Für Butler ist »Wahrscheinlichkeit der wahre Führer des Lebens« (RL 16), was für diesen Bischof nicht bedeutet, daß z. B. eine Theologie nicht mehr als Wahrscheinlichkeiten bietet oder daß es ausreicht, aus einem zweideutigen Glauben zu leben, sondern daß man im Leben bereits handeln *muß*, bevor die letzten Fragen gelöst sind (RL 16–18). Der Theismus nun stellt den Menschen in eine Grenzsituation, in der er seine gewohnte Sicherheit übersteigen muß. Es gibt ja tatsächlich rivalisierende Auffassungen, und es wäre kaum zu verantworten, wollte man sich darüber (z. B. über den Atheismus) nicht informieren; ohne diese Information kann man nicht verantwortungsbewußt wählen. Jeder letzten Synthese oder Weltanschauung liegt aber eine Vorentscheidung zugrunde (wobei die Initia-

---

[19] Wir können hier nicht auf die Beziehung zwischen Philosophie und Theologie eingehen, obwohl Ramseys Lehrauftrag lautete: »Philosophy of the Christian Religion«. Die spezifisch christliche Situation wird von ihm als eine Enthüllung zweiter Ordnung (»second-order disclosure«), beschrieben, durch die z. B. die philosophische Lehre über die Unsterblichkeit zu einem Glauben an das ewige Leben in Christus vertieft wird; der Christ hat dafür seine eigenen Aussagen, die logisch komplizierter sind als das philosophische Sprechen und die als Hinweis auf Jesus von Nazareth und sein bleibendes Werk verstanden werden müssen (F 142–148). »Die christliche Überzeugung entsteht, wenn und nur wenn eine kosmische disclosure stattfindet in Verbindung mit irgendeinem der geschichtlichen Ereignisse, die einen Teil der christlichen Ordnung darstellen« (CD 23).

tive von Gott ausgehen kann, wie das beim Offenbarungsglauben der Fall ist). Man muß sich entscheiden; im Leben läßt sich ein Salon-Agnostizismus nicht durchhalten. Das Element der Entscheidung im Theismus schließt aber ein, daß man selbst hinter seiner Entscheidung steht. Wenn das Sein ein Mysterium ist, ist die Gewißheit der Vernunft nicht das letzte Wort.

7. Rede von Gott und die Dimensionen des sprachlichen Zeichens

Jede Theorie, die sich mit dem Sprechen über Gott befaßt, muß auch der Sprachtheorie gerecht werden. Nun fällt auf, daß viele Theorien auf unserem Gebiet nur eine einzige oder zwei Dimensionen der Sprachzeichen beleuchten, was als methodologisches Prinzip nur annehmbar ist, wenn sie in den größeren Zusammenhang einer Semiotik (Lehre von den Zeichen) eingebaut werden können.

Besser geeignet als Bühlers SSS-Modell (das Zeichen als Symbol, Signal und Symptom) scheint uns die von Morris vorgenommene [20] und u. a. von Bocheński und Ferré [21] übernommene Einteilung in syntaktische, semantische und pragmatische (oder interpretative) Dimensionen der Sprachzeichen. Die Syntaktik befaßt sich mit den Beziehungen der Zeichen untereinander. Die Semantik befaßt sich mit der Beziehung des Zeichens zum Bezeichneten. Die Pragmatik befaßt sich mit der Beziehung des Zeichens zu dem, der es anwendet. Anders ausgedrückt: Zur Bedeutungssituation gehören drei Faktoren, nämlich die Sprache selber, der bezeichnete Inhalt und derjenige, der die Sprache gebraucht – sei es aktiv als Sprecher oder passiv als Angesprochener. Verallgemeinernd (was also noch viele Nuancierungen unbeachtet läßt) könnte man sagen, daß sich die formale Logik vor allem auf die syntaktische Dimen-

---

[20] Ch. Morris, Foundations of the Theory of Signs. Intern. Encycl. of Unified Science I 2, ed. by O. Neurath a. o., Chicago (Univ. of Chicago Press) ²1962 (¹1955), 84–85
[21] I. M. Bocheński, Die zeitgenössischen Denkmethoden, Bern (Francke, Sammlung Dalp 304) 1959, 34–42; F. Ferré, Language, Logic and God, London (Eyre and Spottiswoode) 1962, 146

sion richtet, die »verificational analysis« auf die semantische (anfänglich gegen den Willen ihrer Anhänger), während die »functional analysis« vor allem auf die pragmatische Funktion des Sprachzeichens gerichtet ist. Eine Theologie (ob philosophisch orientiert oder nicht) wird im ersten Entwurf ein innerlich mehr oder weniger zusammenhängendes System sein; im zweiten wird sie der Versuch sein, Wirklichkeit in Worte zu bringen; im dritten Entwurf wird sie zur Formulierung einer engagierenden Weltanschauung werden.

Hier nun drängen sich folgende Fragen auf: In welcher Beziehung stehen diese verschiedenen Entwürfe zueinander? Wird die Logik des Sprechens über Gott zufriedenstellend analysiert, wenn sie nur als eine formale Logik gesehen wird, oder muß man sie erweitern zu einer nicht-formalen, das heißt aus dem Zusammenhang heraus bestimmten Logik? Eine Theorie, die sich mit dem Sprechen über Gott befaßt, muß allen Dimensionen der Sprachzeichen gerecht werden, weil sie sonst eine akademische Abstraktion ist. So wird es abschließend von Nutzen sein, Ramseys Theorie in einen allgemeinen Zusammenhang der Sprachbetrachtung einzubeziehen.

Zur *Syntaktik* gehört Ramseys Forderung, daß das Sprechen über Gott so geschehen muß, daß man möglichst viele Modelle gebraucht und daß diese untereinander in Einklang zu bringen sind. Das sind wichtige Hinweise für den Aufbau einer theistischen Sprache. Spricht man über Gott nur mit Hilfe eines einzigen oder weniger Modelle, dann wird man dem Reichtum seines Wesens nicht gerecht. Aber andererseits verliert ein Sprechen, das ein loses Konglomerat von Bildern darstellt, seine Aussagekraft, weil die Modelle erst in ihrer Beziehung zueinander relevant sind. So wird man also stets nach neuen Modellen suchen müssen, zeitgemäßen, personalen *und* »sachlichen« Modellen. Das bedeutet auch, daß man in der Theologie weniger deduktiv arbeitet, sondern mehr den Zusammenhang der Modelle untereinander abwägt. Die Aussagen gewinnen ihre Geltung mehr durch Übereinstimmung und Vergleich als durch Schlußfolgerung. Theologie ist – syntaktisch gesehen – ein letzter Versuch zur Kohärenz aller Modelle, in denen man über Gott spricht (CP 57–59). Da Ramsey auf der Ebene spricht, auf der sich der Philosoph, der Theologe und der Glaubende treffen, legt er weniger Nachdruck auf eine Forderung, die sicher formuliert werden muß, daß nämlich der Theologe und der Glaubende ihr Sprechen prüfen müssen an der Glaubensgemeinschaft, in der sie stehen, und die sie zeitgemäß zur Sprache, zum Sprechen bringen müssen: die Hl. Schrift, Glaubensbekenntnisse und Konzilsbeschlüsse. Ihre Modelle werden sich konzentrieren müssen um die Liebe Christi.

So wie für jedes Sprechen gilt auch für den theistischen Sprachgebrauch die formale Logik; sonst fällt man ins sinnlose Sprechen. Das Wort »und« – um nur ein Beispiel zu nennen – darf nicht bedeuten, daß eine von zwei dadurch verbundenen Aussagen wahr ist und die andere nicht. Indem Ramsey darüber hinaus das betont, was man den sprachlichen Zusammenhang oder Kontext nennen kann, kommt die Eigenart des theologischen Sprechens mehr zu ihrem Recht. Wenn man exakt formuliert, dürfte man nicht sagen: »Es regnet und es regnet nicht«, aber im Zusammenhang mit dem täglichen Sprachgebrauch kann man offensichtlich damit andeuten, daß es nieselt. Man darf deshalb auch dem theistischen Sprechen nicht zu sehr a priori zu Leibe rücken wollen, um alles daraus zu entfernen, was auf den ersten Blick befremdet; das fordert die Ehrfurcht vor dem Gebrauch. Eine Merkwürdigkeit des Sprechens sei eher ein Anreiz zur Reflexion. Übrigens ist es die grundlegende These von Ramsey, daß das Sprechen über Gott immer merkwürdig und eigentümlich (»odd«) ist. Das hat aber seinen Grund in den anderen Dimensionen der Sprachzeichen.

Die *semantische* Besonderheit des Sprechens über Gott besteht darin, daß diese Sprache nicht glattweg beschreibend, sondern evokativ wirkt. Die »letzten Dinge« (eschata) sind nicht wie der »letzte Zug« zu verstehen; und Maria ist nicht in den Himmel aufgenommen worden so wie sie einst in Nazareth nach Hause ging. »Himmel« ist hier in einem religiösen Zusammenhang gebraucht, wurzelt also in einer disclosure-Situation, in der der Mensch etwas von der Teilnahme an dem verherrlichten Christus vermutet. Darum darf diese Sprache nicht glattweg deskriptiv gelesen werden. Und darum wäre es auch zu wünschen, daß theologische Sprache bewußt mehr evokativ entwickelt würde, z. B. durch Parabeln, durch Anekdoten, wie Ramsey sie vorlegt. Es sind die qualifiers, die das Wesen und die Dynamik der logischen Besonderheit ausmachen. Entsprechend der Eigenart, mit der die theistische Sprache semantisch bezeichnet, werden auch die bezeichneten Tatsachen an dieser besonderen Eigenart teilnehmen (da liegt übrigens der Grund für die semantische Eigenart). Eine Theologie des Essens wird dieses z. B. direkt in Zusammenhang bringen mit einem Liebesmahl, einer Agape. Wesentlich hierbei ist jedoch, daß der Wirklichkeitswert des Sprechens betont wird, wie das Ramsey ständig tut. Der totale Einsatz des religiösen Menschen geschieht als Antwort auf einen objektiven Appell, den er (zusammen mit seiner totalen Schau oder seinem sprachlichen Grundriß) durch den Test der empirischen Tauglichkeit an der Wirklichkeit prüft. Im Falle des glaubenden Menschen – wenn Ramsey davon auch nicht ausdrücklich spricht – kommt dazu noch der Test des praktischen Lebens: »Seht, wie sie einander lieben.« Das bezieht sich jedoch zugleich auf die pragmatische Dimension.

Die *pragmatische* oder interpretative Dimension der religiösen Sprache steht im Zentrum des Interesses, ganz gleich ob man den Theisten als jemanden sieht, der einen bestimmten »Blick« hat (Hare, van Buren) oder als jemanden, der ethisch (Hepburn) – namentlich in Agape (Braithwaite) – leben will, oder als jemanden, der mehr (oder ausschließlich) gekennzeichnet ist durch eine Entscheidung für eine Person oder ein Ideal (Glaube »an«) als durch einen Glauben, »daß« bestimmte Dinge der Fall sind (z. B. MacIntyre). Ramseys Schlüsselwort für diese Dimension ist die totale Hingabe (»total commitment«) des Gläubigen, wobei er sich dann stets beeilt, hinzuzufügen: »als Antwort auf einen objektiven Appell«. Es ist Ramseys ständige Sorge, die pragmatische Dimension mit der semantischen zu verbinden. Bekanntlich fehlt diese Verbindung oft vollständig; und das hat zuweilen seinen Grund in einer Zweideutigkeit auf dem Gebiet des Pragmatischen. Wir unterschieden bereits die »aktive« und die »passive« Seite des sprachlichen Verkehrs. Innerhalb des »passiven« Verhaltens aber gibt es da noch große Unterschiede. Der Mensch reagiert auf seine Sprache, aber seine Reaktionen liegen nicht alle in gleicher Tiefe; manche sind überwiegend Gefühlsreaktionen (so muß man z. B. in Holland mit dem Wort »Konfrontation« vorsichtig sein).

Andere liegen tiefer und können mit mehr Recht als »Antwort« bezeichnet werden. Bei der ersten Art von Reaktionen sind außer der Sprache und meiner Reaktion keine Tatsachen im Spiel (jedenfalls nicht unmittelbar), jedoch trifft das bei der zweiten Art zu: Meine Gefühlsreaktionen beziehen sich auf die Sprache, aber meine »Antwort«, die meine ganze Person in Anspruch nimmt, bezieht sich auf eine (ausgesprochene) *Tatsache* als einen objektiven Appell. Da nun diese Reaktionsebenen nicht getrennt voneinander existieren, bezeichnet man sie mit dem Ausdruck »emotional«. Ein Lied beim Seilspringen ist emotionaler Sprachgebrauch (wobei der Sprecher und der Angesprochene zusammenfallen), und die Sprache des Gläubigen ist es auch. Vergißt man den Unterschied zwischen den beiden Arten der Reaktion, dann kann man dadurch der religiösen Sprache ihre objektive Grundlage entziehen. Ramsey betont ausschließlich die Wirkung der Sprache, die eine Antwort herausfordert, und diese ist tatsächlich die wichtigste (wobei es allerdings auch gut wäre, darauf zu achten, welche Gefühlsreaktionen man durch das Sprechen hervorruft). Grundlegend muß jedes Sprechen über Gott als eine Sprache betrachtet werden, die zu einer Antwort herausfordert.

In Hinblick auf die aktive Seite der pragmatischen Dimension weist Ramsey deutlich darauf hin, daß derjenige, der über Gott spricht, die Absicht hat, diclosures herbeizuführen, Situationen hervorzurufen, in denen »Beobachtbares *und mehr*« ist. Solches Sprechen beabsichtigt weniger zu beweisen als sehen zu lassen, weniger »Blaupausen« von Gott zu bieten als auf ein Geheimnis hinzuweisen und Anregung zu bieten zur Verehrung und zu »Werken des Glaubens«. Diese Sprache weist also auf Tatsachen hin (sie gibt etwas zu erkennen, insofern sie evokativ ist), und sie ist umformend (man will damit etwas erreichen, eventuell in sich selbst). Sie ist also, wie man in England sagt, »cognitive *and* performative«.

Es wäre wichtig, die aktive und passive Seite der pragmatischen Dimension zusammenzunehmen und zu prüfen, welche Wechselwirkung zwischen dem Sprechenden und der Sprache besteht. Dazu müßte man jedoch genauer unterscheiden zwischen dem jeweiligen Sprachgebrauch des Philosophen, des Theologen und des Gläubigen. Ramsey bringt sie ständig auf einen Nenner: eine

Methode, die ihren Niederschlag in dieser Grundlagenforschung fand, in der wir uns gelegentlich Seitensprünge vom einen zum andern erlaubten. Es sollte einiges, jedoch nicht das letzte Wort zum Sprechen über Gott gesagt werden. In diesem Sinne mögen wir für die zum Schluß offen gebliebene Frage entschuldigt werden. Jedenfalls dürfte schon deutlich geworden sein, daß der Theismus eine komplexe Antwort auf eine komplexe Situation ist.

II

SPRACHE DER WUNDER UND SPRACHE DER WISSENSCHAFT

In der Übersetzung des Alten Testaments, die vom Katholischen Bibelinstitut der Niederlande herausgegeben wurde, steht bei der Erzählung von Israels Auszug aus Ägypten eine interessante Fußnote (Ex 14, 16), nämlich, daß laut Priesterkodex die See durch Moses' Stab trocken wurde und laut Jahwist (Vers 21) infolge eines starken Ostwindes. Bekanntlich ist der Jahwist die älteste Redaktion, der Priesterkodex die jüngere. Wichtig für unsere Untersuchung ist auch die Fußnote zu Vers 31:»Das Volk kommt erst zum wahren Glauben nach dem Wunder und durch das Wunder, das Jahwe gewirkt hat. Bis jetzt hatten, merkwürdigerweise(!), allein die Ägypter ihren Glauben in Jahwes Hilfe für Israel ausgesprochen (Vers 25).« Folgt man van Trigt, so ist die Rettung durch das Schilfmeer auf »verschwenderische« Weise in Israels Geschichte eingegangen:»Es ist Geschichte, jedoch ›phantasievoll ausgeschmückte‹ Geschichte, entstanden unter der Inspiration des Glaubens, mehr ›Bedeutung‹ als ›Begebenheit‹«[1].

---

[1] *F. van Trigt*, Het Epos van Israël, De verhalen over uittocht en woestijntocht, Tielt (Lannoo) 1964, 103. Werke, die sich unmittelbar auf das Wunder beziehen, werden nur mit den Namen der Autoren oder den Titeln angegeben. Es sind:
H. H. Farmer, The World and God. A Study of Prayer, Providence and Miracle in Christian Experience, London (Nisbet) 1955 ([1]1935); *A. Flew*, Miracles, in: The Encyclopedia of Philosophy, ed. by P. Edwards, London (Collier-Macmillan) 1967, Vol. V, 346–354; *U. Forell*, Wunderbegriffe und logische Analyse. Logisch-philosophische Analyse von Begriffen und Begriffsbildungen aus der deutschen protestantischen Theologie des 20. Jahrhunderts, Göttingen (Vandenhoeck und Ruprecht) 1967; *R. Formesyn*, Le sèmeion johannique et le sèmeion hellénistique. Ephemerides Theologicae Lovanienses 38 (1962), 856–894; *R. H. Fuller*, Interpreting the Miracles, London (S. C. M.) 1966; *J. L. Goodall*, An Introduction to the Philosophy of Religion, London (Longmans) 1966; *A. de Groot*, De bijbel over het wonder, Roermond (Romen) 1961; *R. F. Holland*, The Miraculous, in: Religion and Understanding, ed. by D. Z. Phillips, Oxford (Blackwell) 1967, 155–170; *C. S. Lewis*, Miracles, London (Collins) 1966 ([1]1947); Miracles. Cambridge Studies in their Philosophy and History, ed. by C. F. Moule, London (Mowbray) 1966

Heutzutage erschrecken wir weniger bei einer solchen Aussage über die Geschichte als das etwa um das Jahr 1900 der Fall gewesen wäre; damals wurden allerhand Objektionen gegen den Sinn der Heiligen Schrift formuliert, und zwar aus einem Geschichtsverständnis heraus, das die Apologeten in Diskussion zu stellen vergessen hatten, einem Verständnis, wonach die Geschichte nach dem Modell der Naturwissenschaften betrieben wurde. Sie sollte eine Fotoreportage von Tatsachen sein, die man als »Dinge an sich« verstand; »wahr« war gleichbedeutend mit »exakt«, und alles Subjektive mußte aus den Quellen entfernt werden. Aber »das Reich Gottes läßt sich nun einmal nicht verfilmen«[2], und Grelot stellt dann auch zu Recht die Frage, ob eine Tatsache nicht mehr ist als eine Reihe von nebeneinandergestellten Details, die unabhängig von jeder menschlichen Subjektivität bestehen. Ist ein Geschehnis nicht eher »das einende Prinzip dieser Details, das heißt letztlich ein *menschliches Erlebnis* (expérience humaine), das von einem einzelnen oder einer mehr oder weniger umfangreichen Gruppe erlebt wurde (im äußersten Fall von der gesamten Menschheit), das der Geschichtsschreiber von einer mehr oder weniger hohen Warte aus beobachtet je nach dem Umfang der menschlichen Gruppe, deren Reaktionen er analysiert?... So ordnet sich, in der geschichtlichen Erkenntnis, die Exaktheit der in Frage stehenden Details unter den eigentlichen Wert dieses Erlebnisses, in das sie sich einordnen«; es ist das Erfassen dieses Erlebnisses, das formal die objektive Wahrheit der Geschichte ausmacht (wozu man auch die Folgen rechnen muß, die sich im späteren Ablauf des menschlichen Lebens daraus ergeben). Folgerichtig sieht Grelot, daß ein Zeugnis um so interessanter ist, je

---

([1]1965); *L. Monden,* Het wonder. Theologie en apologetiek van het christelijk mirakel, Utrecht (Spectrum) 1958; *F. Mußner,* Die Wunder Jesu, München (Kösel) 1967; *P. Nowell-Smith,* Miracles, in: New Essays in Philosophical Theology, ed. by A. Flew and A. MacIntyre, London (S. C. M.) 1963 ([1]1955), 243–253; *I. T. Ramsey,* Miracles. An Exercise in Logical Mapwork, in: The Miracles and the Resurrection, London (S. P. C. K.) 1964, 1–30; *A. Richardson,* History, Sacred and Profane, London (S. C. M.) 1964 (= Richardson I); *Ders.,* The Miracle-Stories of the Gospels, London (S. C. M.) 1966 ([1]1941) [= Richardson II]; Het Wonder. Nederlands Gesprek Centrum 26, Kampen (Kok) [2]1964
[2] Het Wonder, 9

mehr sein Autor in das berichtete Geschehnis engagiert war. Es bedarf also einer psychologischen Intuition, »einer verstehenden Sympathie gegenüber den Menschen der Vergangenheit, deren Erlebnis man in Gedanken nacherleben muß«. Der historische Positivismus der Jahrhundertwende konnte alle Einzelheiten nebeneinandersetzen und doch am Wesentlichen vorbeigehen[3].

Es geht in diesem Kapitel um das »Nacherleben« der menschlichen Erfahrung des Wunders, wenigstens insoweit vom Wunder die Rede sein wird. Wenn hier zwar immer *über* das Wunder gesprochen wird, so geht es doch nicht ausschließlich *um* das Wunder. Es liegt mir nämlich vor allem daran, anhand eines Beispiels (des Wunders) aufzuzeigen, wie eine analytische Methode in der Theologie zur Anwendung kommen kann. Ich bin mir dabei bewußt, daß ich mich auf ein sehr gefährliches Terrain begebe: Das Wunder ist »eines der heißesten Eisen der modernen Exegese«[4] und mit vielerlei Problemen verbunden. Aber das macht meine Absicht um so ehrlicher. Ich weiß auch, daß das Wunder schlecht in das Weltbild des westeuropäischen Menschen hineinpaßt; ich setze das als gegeben voraus. Im Zusammenhang damit werde ich auf die Frage eingehen müssen, ob eine Ansicht, wie Anthony Flew sie zu vertreten scheint[5], nämlich, daß es ohne Durchbrechen von Naturgesetzen keine Wunder geben kann, richtig ist oder nicht.

Analytische Essays verfolgen oft noch einen therapeutischen Zweck. Der meinige könnte etwa lauten: Heilung einer gewissen linguistischen Schizophrenie, die in der Koexistenz von zwei Sprachspielfamilien bestehen könnte, die der Theologie und die der Naturwissenschaften, von denen man meint, daß sie beim Wunder in Einklang gebracht werden müßten, obschon man

---

[3] *P. Grelot*, Etudes sur la théologie du Livre Saint, Nouv. Rev. Théol. 95 (1963), 905–908. Über die Probleme um »Faktum« und »Geschichte« möge man die ausgezeichneten Darlegungen von *P. de Haes* nachlesen: De Verrijzenis van Christus als heilswerkelijkheid, Collect. Mechliniensia 38 (1968), bes. S. 281–295
[4] *S. Trooster*, Streven 21 (1967/68), 817
[5] *Flew*, 347–348. Vgl. *Richardson I*, 188, Anm. 3, 189, Anm. 1. A. Flew steht somit in der Humeschen Tradition. Hume hatte die angeführte Beschreibung von seinen Gegnern übernommen, um sie alsdann zu kritisieren.

vielfach nicht einmal in der Lage ist, ihr Verhältnis zueinander zu bestimmen. Für einen Israeliten bestand dieses Problem nicht, für einen Theologen des vorigen Jahrhunderts bestand es wohl, und wahrscheinlich besteht es auch noch heute für viele gläubige Menschen. Der Zweck dieses Kapitels ist somit nicht nur, daß etwas über das Wunder gesagt wird, es soll auch eine mögliche Methode zeigen, Theologie zu betreiben. Man kann sagen, daß hier ein Philosoph in die Haut eines Theologen schlüpft (nicht notwendigerweise ein Wolf in Schafskleider) mit dem Ziel, das zu erhellen, was der »Glaube an Wunder« beinhaltet (1), und wie das alles dann in Zusammenhang zu bringen ist mit den Sprachspielen der positiven Wissenschaften (2). Und es wird auch versucht werden, neue Wege aufzuzeigen (3). Dabei wird namentlich gefragt werden, ob das, was die Gläubigen aufgrund des Wunders beansprucht haben (zumal beim artikulierten Sprechen über Gott), auch mit Recht beansprucht werden kann. Daß Glaube an Wunder vorkommt, ist eine von niemandem geleugnete Tatsache; ob es aber Wunder gegeben hat, ist eine Frage, die zunächst präzisiert werden muß und worauf dann, aufgrund meiner methodisch begrenzten Absicht, nur mit einigen Andeutungen geantwortet werden kann. Das tatsächliche Sprechen über Gott impliziert nämlich meist eine Stellungnahme, die weiter geht als das rein Linguistische. Dieses Kapitel ist darum auch nur ein Versuch zu zeigen, wie man bestimmte Ideen, die man nun einmal hat, mit Hilfe des Instrumentariums der Sprachanalyse erhellen kann. Selbst diese Erhellung wird nicht einmal so weit durchgeführt werden, als es an sich wohl wünschenswert wäre; Lesbarkeitsmotive und Einheit der Komposition mußten hier berücksichtigt werden.

Die Tatsache, daß man über den Auszug aus Ägypten feststellen konnte, er sei mehr »Bedeutung« als »Begebenheit« (auch wenn man diese Unterscheidung nicht als hieb- und stichfest betrachten muß), und der Vorschlag von Grelot, daß es darum geht, die menschliche Erfahrung in der Geschichte zu erfassen, lassen mich vermuten, daß eine gute Annäherung an das Wunder durch die methodische Anwendung der *disclosure* = *Erschließung* erreicht werden kann. Damit trete ich in die Fußspuren von I. T. Ramsey (ich werde übrigens weiter gehen als er); und weil ich seine Untersuchungsmethode bereits dargelegt habe[6], kann ich mich nun mit dem Notwendigen begnügen. Über das Erleben des Wunders sagen die Kommissionsmitglieder des Nederlands Gesprek Centrum, daß es ein Erleben ist, das sich nicht unzweideutig und zwingend mitteilen läßt. Es »will lediglich wiedererkannt sein, das heißt beim Leser Erinnerungen wachrufen an verwandte eigene Erlebnisse, deren Existenz also vorausgesetzt wird«[7], oder wie es Halbfas formuliert: »Ihr Inhalt ist aber nicht mit Begriff und Formel zu erfassen, sondern nur der indirekten Mitteilung zugänglich«[8]. Es geht also, mit anderen Worten, um eine Situation, in der mehr enthalten ist als das rundweg Beschreibbare. Um dieses »mehr« aufzuzeigen, muß man sich einer Sprache bedienen, die nicht registrierend beschreibt, sondern die durch »die ansteckende Klarheit der individuellen Existenzerfahrung«[9] zur Wirkung kommt. Es bedarf also einer Sprache, die zwar beschreibt, aber in einer evokativen Art und Weise. Dabei muß man wohl bedenken, daß die Entwicklung in bezug auf performativen Sprachgebrauch, die mit Austin begonnen hat, sich dergestalt weiterzuentwickeln scheint, daß immer weniger ein *Gegenüber* zum »constative« oder »expositive«, also zum feststellenden oder darlegenden Sprachgebrauch, gesehen wird, sondern daß dieser performative Sprachgebrauch immer mehr in den expositiven aufgenommen wird, und zwar als Voraussetzung. Wenn ich nämlich mitteile oder berichte (constative speech act), so engagiere ich mich wirklich mitzuteilen (performativ). Das illustriert, wie das Ethische und damit das Anthropologische immer mehr als eine ursprünglichere und tiefergehende Annäherung an die Wirklichkeit gesehen werden kann als die (alte) Ontologie. »Das Geschehnis« und »die Geschichte« treten als Grundkategorien an die Stelle der Natur als Physis: Das menschliche Erleben kommt in den Vordergrund. Was viele heute möchten, ist eine Ontologie, die sehen läßt, also eine hermeneu-

---

[6] Vgl. Kapitel I. Auch *R. Veldhuis,* Ian T. Ramsey's analyse van de religieuze taal, in: Kerk en Theologie 18 (1967), 135–151, kann man zu Rate ziehen.
[7] Het Wonder, 19
[8] *H. Halbfas,* Fundamentalkatechetik. Sprache und Erfahrung im Religionsunterricht, Düsseldorf (Patmos) 1968, 204
[9] *W. Luypen,* Existentie-ervaring en theologie, Tielt (Lannoo) 1952, 62

tische oder deiktische Ontologie, anstelle von einer Ontologie, in der man aus allzu rasch gewonnenen Prinzipien deduziert. Man reflektiert über die menschliche Erfahrung, in der die Situation Tiefe annimmt: eine Erschließungssituation. Daß das Ethische dabei einen vorrangigen Platz einnimmt, stimmt mit der Tatsache überein, daß die Erschließung par excellence eben die ethische ist. In jeder Erschließung finde ich zu mir selbst, und das insofern etwas an mich appelliert, als Rätsel oder als Pflicht.

Hieraus darf man aber nicht folgern, daß Ontologie (so wie sie traditionsgemäß erstellt wurde) eine flügelgestutzte Ethik wäre oder daß der expositive (beschreibende) Sprachgebrauch eine Einzäunung für den performativen wäre. Dennoch scheint eine solche Folgerung im Spiel zu sein, wenn van Peursen – in seinem übrigens hoch zu wertenden Buch »Er ist es wieder!« – sagt, daß Theologie eine Einzäunung oder Verschmälerung von der Fülle der Verkündigung (des Proklamativen), eine flügellahme Liturgie und eine bleifüßerne Diakonie sei[10]. Eine solche Folgerung ist meines Erachtens eine ungerechtfertigte Ausweitung des Denkmusters von Unter- und Überbau oder von Basis- und Oberflächenstruktur, eine Ausweitung, durch die die Eigenart der verschiedenen Sprachsorten verloren geht.

Man muß van Peursen aber recht geben, wenn er die Sprache des Glaubens für reicher hält als die Sprache der Theologie (die erste umfaßt mehr Sprachformen, wie z. B. die performative, doxologische, emotive, den Sprecher involvierende), und mit den nötigen Einschränkungen kann man sogar sagen, daß die (systematische) Theologie die Grammatik der eigentlichen Sprache, nämlich des Glaubens, ist. (Sie untersucht z. B., wie die im Glauben verwendeten Modelle miteinander zu vereinen sind.) Mit denselben Einschränkungen darf man auch annehmen, daß die Glaubensaussagen zu dem (normierenden) »ordinary language« gehören, nicht aber die theologischen Aussagen. Doch scheint mir,

---

[10] C. A. van Peursen, Hij is het weer! Beschouwingen over de betekenis van het woordje »God«, Kampen (Kok) ³1968, 62–64. Für den dargelegten Standpunkt (Ethik und Anthropologie als Grundlage) vgl. von demselben Autor: Die ethische Dimension der Wirklichkeit, in: Ztschr. für evang. Ethik 11 (1967), 90–100, wie auch: Feiten, waarden, gebeurtenissen; een deiktische ontologie, (Wijsgerige Verkenningen), Amsterdam (Meulenhoff) 1965, passim

daß van Peursen den eigentlichen Wert des beschreibenden Elements in der Sprache des Glaubens unterschätzt hat. Hier ist nicht der Ort für eine Diskussion über einen so schwierigen Punkt, mit dem van Peursen selbst, über mehrere Kapitel hinweg, zu kämpfen hat. Er wird wohl aber damit einverstanden sein, daß Glaubensaussagen in einer Erschließung (disclosure) wurzeln und daß also auch die wichtigsten theologischen Termini Erschließungsworte sind. Weil aber eine Erschließung stets eine Erschließung *von* etwas ist, wird auch die Evokation dieses »etwas« wesentlich zum Glauben und auch zur Theologie gehören. Deshalb legt der zur Erschließung hinführende Sprachgebrauch (das nenne ich evokativ-beschreibend) etwas Wesentliches frei, ohne deshalb einer perspektivischen Verfälschung zu verfallen. Diese meine Annäherung an den gemeinten Glaubensinhalt ist zwar eine Verarmung (wegen der methodischen Einschränkungen), aber keine Verfälschung. Ein Bericht, wie der des Exodus, ist z. B. episch-religiös und also eine bestimmte Art evokativer Beschreibung. Der Wunderbericht enthält mit Sicherheit einen Appell zu einer totalen Hingabe, so wie jede kosmische Erschließung gekennzeichnet ist durch die Aufforderung zu einem »total commitment«, wie Ramsey sich ausdrückt. Die Problematik des beschreibenden Elements jedoch ist für sich allein schon so groß, daß eine Behandlung der religiösen Sprache unter diesem Gesichtspunkt auch dann gerechtfertigt erscheint, wenn man nicht auf die anderen sprachlichen Aspekte eingeht.
Eine Folge dieser Annäherungsmethode ist aber, daß das Eigentümliche der Sprache des Glaubens hinsichtlich der Sprache der Theologie wenig deutlich wird, etwas, was bei mehreren Analytikern auffällt. Das ist seltsam, weil gerade sie für die Eigenart der Sprachspiele eintreten. Man kann das aber aus den historischen Umständen erklären, unter denen sie den Neopositivisten (und den unter ihrem Einfluß stehenden Empiristen) Antwort geben mußten, weil diese annahmen, daß religiöse und theologische Aussagen keine Fakten, sondern nur Emotionen oder Willensentscheidungen in Worte fassen. Diese Tatsache scheint auch heutzutage auf dem europäischen Kontinent noch nicht der Vergangenheit anzugehören. Die Erfassung von Wunderberichten unter dem Aspekt des aufrufend-beschreibenden Sprachgebrauchs

ist aber erst dann legitim, wenn die Verbindung mit der ursprünglichen Erschließung ununterbrochen festgehalten wird, denn darin wurzelt auch das »mehr als Beschreibung«[11].

Auf der Linie des oben Gesagten, daß menschliche Kategorien, wie »das Geschehnis« oder »die Geschichte«, immer häufiger als Ausgangspunkt genommen wurden, liegt auch die Warnung, die man ab und zu in Studien über das Wunder hören kann, nämlich, daß die Fragen über das Wunder in der richtigen Rangfolge gestellt werden müssen[12]. Das beinhaltet konkret, daß man sich zuallererst die Erschließungssituation vor Augen halten muß, die das Wunder ist: »Inzwischen ist die Ansicht herangereift, daß das Zurückführen auf den kleinsten Kern historischen Geschehens ein Ansetzen am falschen Ende gewesen ist. Nicht, als ob das ein völliger Mißgriff gewesen wäre, sondern weil es in Wirklichkeit wichtiger ist, mit dem Glauben des Propheten und des Volkes zu beginnen, die diese Geschehnisse in der physischen Welt von einem ganz bestimmten historischen Kontext aus interpretiert haben«[13].

Anhand dieses Zitats wird zugleich deutlich, daß eine Situation auch nachträglich zu einer Erschließungssituation werden kann. Aber auch dann kann man sagen, daß die Erschließung mit der Situation in Verbindung steht, diesmal zwar nicht aufgrund der Gleichzeitigkeit, auch nie aufgrund der Notwendigkeit (das Zustandekommen einer Erschließung ist nicht garantiert), wohl aber aufgrund des Symbolcharakters der Situation selbst, wovon das Symbolische erst später »gesehen« wird.

---

[11] Dennoch bleibt die Frage, inwiefern die Sprache des Glaubens, die der Theologie und die der Metaphysik sich voneinander unterscheiden, eine sehr wichtige Frage, deren Kompliziertheit nicht unterschätzt werden darf. Dieses Problem zeigt sich bereits im vierten Evangelium, und es steckt auch hinter manchem Protest der Christen gegen das Hegelsche System. Man wird dabei gewiß den Einfluß in Rechnung stellen müssen, den die Theologie im Mittelalter auf die Philosophie ausgeübt hat (Angst vor Änderungen in der Metaphysik hat ihre Wurzel häufig im Religiösen). Und es sieht so aus, als ob auch die Beziehung zwischen Ethik und Ontologie etwas damit zu tun hat. Außerdem bildet die Theologie selbst wiederum eine ganze Familie von Sprachspielen. Man wird also begreifen, daß hier nicht weiter auf diese Frage eingegangen werden kann.

[12] *Z. B. Richardson II, 34–35*   [13] *De Groot, 8*

1. Die religiöse Funktion des Wunders

a) Umschreibung des Wunders

Auf Seite 27 seines Artikels »Tatsache und Geschehnis« [14] definiert P. Schoonenberg das Wunder als »eine auffallende Tatsache, und das nicht nur für unsere objektivierende Wahrnehmung (so wie jede Ausnahme von naturwissenschaftlichen, biologischen, psychologischen, soziologischen Gesetzen), sondern auch und an erster Stelle als Hinweis auf ein zwischenpersonales Verhältnis, und darum ist es ein Zeichen, das zum Menschen spricht, ein Zeichen, das aufruft und ein Versprechen enthält, oder, wie es jemand ausgedrückt hat: ein Lesezeichen im Dialog zwischen Gott und den Menschen«. Analytisch kann man diese Umschreibung als Ausgangspunkt nehmen (insofern sie nämlich von einem zeitgenössischen gläubigen Christen stammt), um aufzuspüren, was mit »Wunder« gemeint ist. Einige Dinge fallen dann sofort auf. So ist Schoonenberg offensichtlich viel vorsichtiger als A. Flew mit seinem »Durchbrechen von Naturgesetzen«. Laut Schoonenbergs Definition scheint beim Wunder eigentlich nichts »Wunderbares« vorliegen zu müssen. Die »Gesetze«, von denen er spricht, sind nämlich gar nicht so undurchbrechbar, erstens weil er die naturwissenschaftlichen und psychologischen Gesetze in einem Atemzuge nennt, und zweitens, weil er mehr Ausnahmen zuläßt als nur Wunder (siehe seinen Ausdruck »so wie jede Ausnahme«). Das Wort »Ausnahme« ist überdies weniger anstößig als »Durchbrechen« oder etwa »Einbruch in«; denn eine Ausnahme läßt das Gesetz intakt und beschränkt nur seine Anwendbarkeit (und wenn die Ausnahmen zahlreicher werden, führt das eben zu einer Neuformulierung, und nicht zu einem Durchbrochensein, des betroffenen Gesetzes); das Wort »Durchbrechen« suggeriert eher das Aufheben eines Gesetzes.
Bezüglich der von Schoonenberg verwendeten progressiven Konjunktion (»nicht nur ... sondern auch«) ist eine weitere Verdeutlichung möglich. Er sagt nämlich, daß etwas, das in der objektiven Wahrnehmung gegeben ist, auch auf ein zwischenpersonales Ver-

---

[14] Tijdschrift voor Theologie 8 (1968)

hältnis hinweisen kann (also Zeichen davon sein kann) und daß das letzte sogar die Hauptbedeutung davon sein kann (»an erster Stelle«). Dies sei möglich, insofern es eine »auffallende Tatsache« ist. Das alles kann als Umschreibung einer Erschließungssituation angesehen werden. Das Wunder ist dann ein Geschehnis, das dermaßen auffällt, daß die Situation Tiefe annimmt und daß, von dem Beobachtbaren ausgehend, eine Erschließung von dem »mehr« als dem an der Situation Beobachtbaren entstehen kann, nämlich die Erschließung eines zwischenpersonalen Verhältnisses. Die Situation ist zur Zeichensituation geworden[15].

Wenn ich die Definition Schoonenbergs nicht mißverstanden habe, kann ich sie nun besser mit älteren und neueren Auffassungen vergleichen. Der Vorteil gegenüber früher üblichen Definitionen besteht darin, daß die Frage, inwieweit Wunder Einbrüche in Naturgesetze sind, nicht vorweggenommen wird (und das ist wichtig – wegen der oben genannten richtigen Reihenfolge der Fragen). Daß das Wunder als eine Erschließungssituation gedeutet wird, läßt auch die Möglichkeit offen, daß nicht jeder ein Wunder als ein Wunder sieht; eine Erschließung, auch des Zeichenwertes, findet nicht notwendigerweise statt, und wer das Geschehnis nicht als ein Zeichen sieht, dem entgeht ein wesentliches Element und damit das ganze Wunder. Es kann vorkommen, daß jemand das auffallende Geschehnis wahrnimmt, das ein Wunder ist, ohne es als Wunder zu sehen, auch wenn er das Stattfinden des Geschehnisses nicht erklären kann (»etwas nicht erklären können« ist ja nicht identisch mit »etwas ist nicht erklärbar«). Wesentlich ist, daß man eine Erschließung hat, und das ist mit »nicht erklären können« noch keineswegs der Fall. Nur so kann man die (früher etwas verheimlichte?) Tatsache erklären, daß ein Wunder Glauben erfordert und daß es ein Wunder nur für den ist, der glaubt. Zwar wird man nicht immer von einer Erschließung sprechen (Ramseys Terminologie ist in dieser Hin-

---

[15] Übrigens lassen sich mehrere Ideen von Schoonenberg mit Hilfe der Terminologie von Ramsey verdeutlichen. So kann man seine Umschreibung der Offenbarung (o. c. S. 30) als »das Heilshandeln Gottes insofern es zur Sprache kommt« verstehen als »Geschichte, die man in einer religiösen Erschließung gesehen hat«.

sicht ziemlich exklusiv wie auch Heideggers »Sich-Wundern« oder Jaspers »Existenzerhellung«), aber die modernen Umschreibungen – auch die von Schoonenberg – liegen dicht daneben. So nennt Goodall das Wunder ein »remarkable event understood in a religious way« (auffallendes Geschehnis, religiös verstanden) [16] und präzisiert das einige Seiten später (S. 118) durch »when (the situation) comes alive in a personal way« (wenn die Situation auf eine persönliche Weise zum Leben kommt). Fuller bemerkt, daß das Wunder »startling« (Schoonenbergs »auffallend«) ist, aber doch nicht so ungewohnt, daß jeder es als Wunder erkennt [17]. Daran schließt dann auch seine Definition logisch an, wenn er Wunder als »occurrences which faith recognizes as acts of God« (Geschehnisse, die der Glaube als Taten Gottes erkennt) bezeichnet. Die Rolle des Glaubens beim Wunder wird also heutzutage voll anerkannt [18], häufig jedoch beschränkt man sich auf die Rolle des Glaubens nach oder während des Wundergeschehnisses, also beim Wiedererkennen oder beim Anerkennen des Wunders. In der Tat ist diese Rolle von der Erschließungsstruktur her am leichtesten zu begreifen (nur für den, der »sieht«, nimmt die Situation Tiefe an). Aber Jesus verlangt Glauben auch vor dem Wunder – so jedenfalls deuten es die Evangelisten an –, wenn es so oft heißt »Dein Glaube hat dir geholfen« oder wenn Jesus in Nazareth keine Wunder wirken konnte, weil er dort keinen Glauben fand. Zuweilen scheint es Jesus mehr um den Glauben zu gehen als um die Gaben der Genesung u. dgl., die im Wunder geschenkt werden. Das Mitleid mit der hungrigen Menge bei Jo 6 z. B. wird ziemlich relativiert durch Jesu Vorwurf (Vers 26), daß die Menschen zu ihm kommen, nicht weil sie Wunder gesehen haben, sondern weil sie sich sattessen können. Warum das alles? Hier liegt die ganze Problematik des Verhältnisses zwischen Philosophie und Exegese. Philosophisch aber kann man darauf verweisen, daß ein Zeichen nur Zeichen sein kann innerhalb eines bestimmten Erwartungskontextes. Das Zeichen hat sein eigenes »univers de discours«. Dieses »univers« ist in der Hl. Schrift das Reich Gottes, das im Alten Testament noch kommen

---

[16] *Goodall*, 115   [17] *Fuller*, 9
[18] *Mußner*, 69–72 und 85; *Richardson II*, 127–137; *Goodall*, 143–144; *Monden* leugnet die Notwendigkeit des Glaubens, 38 und 76–81

mußte und das mit dem Neuen Testament gekommen ist, nämlich in der Person Jesu. Nach diesem Reich hielt Israel Ausschau in einer Erwartung, die derjenigen nicht unähnlich war, mit der die Kongolesen nach ihrer Unabhängigkeit Ausschau hielten (keine Bauchschmerzen mehr, keine schwere Arbeit usw.). Als Jesus dann aufzeigen will, daß mit ihm das Reich Gottes gekommen ist, muß er schon etwas darauf anspielen: »Geht zu Johannes und berichtet ihm«, so heißt es, »was ihr hört und seht: Blinde sehen, Lahme gehen, Aussätzige werden geheilt, Taube hören, Tote stehen auf, Armen wird die Frohbotschaft verkündet« (Mt 11, 4–5)[19]. »Auf eurer Wanderung verkündet: Das Himmelreich ist nahe; heilt Kranke, erweckt Tote« usw. (Mt 10, 7–8). »Wenn ich aber durch den Geist Gottes die Dämonen austreibe, dann ist das Reich Gottes schon zu euch gekommen« (Mt 12, 28). Auch die »doxa« bei Johannes weist in diese Richtung. Wer aber a priori nicht bereit ist, in den Heilungen, die Jesus bewirkt, ein Zeichen des Gottesreiches zu sehen, bei dem hat das Wunder keinen Sinn, jedenfalls nicht als »Zeichen«; das Zeichen-Setzen für das Reich Gottes aber war Jesu Sendung. Das schockiert uns vielleicht, weil es unmenschlich klingt (meine Erklärung kann übrigens falsch sein)[20], aber man kann sich die Frage stellen, inwiefern der Unglaube schuldhaft war und, falls Heilungen vom Reich Gottes und seinem Kommen abgetrennt werden könnten, inwieweit Jesus nicht wirksamer hätte auftreten können als kleine Dörfer zu durchziehen. Hatte Jesus aber einmal ein Wunder gewirkt, im Anschluß an die Erwartung des Gottesvolkes, dann mußte er zugleich dazu erziehen, daß das Reich Gottes mehr ist als etwa nur genug zu essen zu haben. Das Volk hatte schon das Gespür, daß dieses Reich nun kam (man wollte Jesus zum Messias ausrufen),

[19] Der Text wird wegen der Verbindung zwischen Wunder und Gottesreich zitiert; *ob* aber Tote auferstanden sind, ist eine Frage, die zur »Leben-Jesu-Forschung« gehört.
[20] In der systematischen Theologie kann die Lehre von der Gnade vielleicht besser zum Verständnis helfen: Wenn das Wunder eine Gnadengabe des Gottesreiches ist, kann es, wie jedesmal bei der Gnade, eine Art »Zusammenspiel« zwischen Gott und Mensch sein; die Gnade wird nicht aufgezwungen. Man wird auch zu berücksichtigen haben, daß der neutestamentliche Begriff »pistis« ein sehr reicher und inhaltsvoller Begriff ist; es gehört dazu die Bereitschaft, Jesus in einer bestimmten Weise zu sehen.

aber seine Vorstellung von diesem Reich war zu unvollkommen. So ist vielleicht der Vorwurf bei Jo 6, 26 zu verstehen (abgesehen von der Tatsache, daß das »Reich Gottes« kein johanneisches Thema ist), etwa so wie aus der Notwendigkeit eines Erwartungsfeldes die Forderung des Glaubens *vor* dem Wunder zu begreifen ist. Beide Dinge, die Notwendigkeit der Erwartung und die Korrektur dafür, hängen zusammen, insofern ein größerer Glaube auch näher an das Beabsichtigte herankommt. Je größer der Glaube, desto reicher und reiner ist das Evokativfeld für Erschließungen.

Im Anschluß an das bisher Gesagte sollen nun noch folgende Andeutungen (zum Teil auch Versuche von Schlußfolgerungen) angeführt werden:

1. daß das Wunder nicht so sehr ein anthropozentrisches Geschehen ist, sondern viel eher über den Menschen hinausweist, obschon es auf den Menschen ausgerichtet ist;

2. daß das Wunder, eben weil es den Glauben voraussetzt, nicht zu sehr in Richtung eines »Beweises« gesucht werden darf, sondern (und dies ist wichtig für meine Darlegung) in Richtung eines »Zeichens« für »den, der Augen hat«. In den Evangelien scheint der Inhalt des Zeichens der zu sein, daß das Reich Gottes gekommen ist. Über die Auffassung, daß dieses Reich sich in Jesus (in seiner »doxa«) manifestiert, kann dann, so scheint es, auch die andere Deutung entstehen, daß das Wunder aufzeigt, daß Jesus der Messias ist. Letzteres ist wahrscheinlich eine spätere Reflexion[21];

3. daß das Wunder, als ein im israelitischen Erwartungsmuster sich situierendes Zeichen vom Gottesreich, auch beinhaltet, daß irdische Güter und Glaube nicht zu sehr getrennt werden dürfen. Das Wunderwirken wird z. B. auch »Wohltaten spenden« genannt. Das impliziert, daß das Wunder Zeichen ist, nicht so sehr im hellenischen Sinn (rätselhaftes Vorzeichen, Traum), sondern im hebräischen Sinn, daß das Irdische bereits himmlische Züge trägt[22];

4. daß das Wunder, weil es im Kontext des Glaubens beheimatet

---

[21] Vgl. *Fuller*, z. B. 66–68
[22] Vgl. *Formesyn*, bes. 868, 880, 890–893. Das gilt vor allem für das johanneische Zeichen; bei den Synoptikern ist es vielleicht weniger deutlich.

ist (denn dadurch erkennt man seinen Wert als Zeichen), zu einseitig beschrieben wird, wenn es auf den Aspekt der Erkenntnis beschränkt wird: Glaube impliziert Hingabe. So wird die Wunder-Situation gekennzeichnet durch ein »odd discernment *and* a total commitment« (merkwürdiges Sehen *und* totale Hingabe): Ramseys Definition der religiösen Situation, die in einer kosmischen Erschließung wurzelt.

Inzwischen scheint mir die Deutung, daß das Wunder in die Ordnung des Zeichens gestellt werden muß, genügend gefestigt, um sie in dem nun Folgenden zu verwenden; diese Auffassung ist übrigens so allgemein, daß ich nicht näher darauf einzugehen brauche. Fügt man den – ebenso allgemein akzeptierten – Charakter von Auffälligkeit hinzu, dann wird die Benennung begreiflich, die man für die Wunder in Schrift und Tradition vorfindet, nämlich »miracula (in der Schrift: prodigia) et signa«, »terata kai sèmeia«. Übersieht man andere gebräuchliche Benennungen, die in der Perspektive dieses Kapitels weniger von Belang sind[23], so sind hiermit die beiden Merkmale des Wunders gegeben, die meines Erachtens der Interpretation am meisten bedürfen.

b) Interpretation der Auffälligkeit (miraculum)

In Schrift und Tradition wird das echte Wunder als Gegenstück zu einer Show oder eines Tricks angesehen, die wahren »terata« werden als »sèmeia« verstanden (als Illustration dazu s. Apg 2, 19–22); deswegen kann das Merkmal der Auffälligkeit nicht von dem der Zeichenhaftigkeit getrennt gesehen werden; es geht um etwas Auffallendes (um etwas Ungewohntes also) mit Zeichenwert. Die Funktion des Wunders als »miraculum« scheint dann darin zu liegen, daß durch das Auffallende (das Ungewohnte oder das Besondere, das gleich noch zu präzisieren ist) die Situation kosmische Tiefe annimmt, das Universum zum Leben (z. B. um die Person Jesu) kommt, zu einer Erschließungssituation wird.

Kann »das Gewohnte« diese Funktion nicht übernehmen? Die

---

[23] Man kann sie z. B. bei *Fuller*, 15–17, finden

Antwort des hl. Augustinus ist bekannt: Eigentlich müßte das Gewohnte dies können, aber wir brauchen stärkere Reize. Wie dem auch sei[24], die Frage muß gestellt werden, was unter dem »Gewohnten« oder »dem gewohnten Gang der Dinge« zu verstehen ist. Für den Israeliten, der Gott in allem sah, gab es eigentlich nichts Gewohntes. Aber auch er kannte den gewohnten Gang der Dinge, so wie ihn jedermann normalerweise sieht, obschon die Welt nicht autonom ist. Wenn man, von einem stärkeren Heer verfolgt, auf das Rote Meer trifft, wäre es »normal«, wenn man verloren ist. Ist Israel aber nicht verloren, dann ist das zwar nicht »anormal«, aber doch etwas Besonderes: Jahwes Wohlwollen gegenüber seinem Volk. Eine solche Rettung ist nicht anormal, weil Israel auf Gott vertrauen kann; sie durchbricht aber doch den normalen Gang der Dinge insofern, als Israel ohne das Wohlwollen Jahwes hätte verloren sein können. In diesem Sinne ist das Wunder als miraculum ein Durchbrechen des gewohnten Ganges der Dinge.

Ramsey spricht beim Wunder von einem Durchbrechen der Monotonie[25]; diese Ausdrucksweise scheint mir nachbiblisch. Das kann der Mensch von heute verstehen, denn für ihn hat die Welt »ihren« Gang, und die Dinge haben »ihren« Lauf, für einen Israeliten aber war die Welt und alles, was darin geschah, nicht monoton, sondern Gottes Werk. Vielleicht könnte man doch sagen, daß die Wunderberichte den Glauben Israels lebendig erhielten und so verhüteten, daß die Welt für sie zu einer Monotonie wurde.

Geht man dennoch allgemein an das Wunder heran, im biblischen und im nachbiblischen Sinne, so kann man es, als miraculum, wohl am besten umschreiben als ein Aktivieren der Erschlie-

---

[24] Wir werden später sehen, daß für den Inhalt einer Erschließung doch ein Unterschied darin besteht, ob man Gott vom Wunder her erreicht oder über das »Gewohnte« (gegebenenfalls von den Naturwissenschaften her). Wir werden uns auch die Frage stellen, ob der Mensch von heute nicht eher durch »das Gewohnte« als durch das Wunder zu Gott gelangt.
[25] Dies zwar nicht in seinen Publikationen (wovon MI und RL 168–174 hier relevant sind), aber wohl in seinen nicht veröffentlichten Vorlesungen in Oxford, Herbst 1966, wo er auch den von mir gegebenen Unterschied zwischen »miraculum« und »signum« macht. (Ansätze für diese Betrachtungsweise finden sich in RL 174 und MI 21)

ßungskraft des Wahrnehmbaren; es bewirkt dies, weil es eine auffallende Tatsache ist, und sie ist auffallend, weil etwas Besonderes geschieht, das deswegen als Durchbrechen des normalen Gangs der Dinge angesehen werden kann. In diesem Sinne werde ich den Ausdruck »Durchbrechen des gewohnten Gangs der Dinge« nun verwenden. In der einen Kultur wird man eher als in einer anderen diesen gewohnten Gang der Dinge als durchbrochen ansehen, so daß das Wunder nicht notwendigerweise ein Geschehen sein muß, das »jederzeit klappt«. Und wenn das Wunder eine Erschließungssituation ist (vgl. die Notwendigkeit des Glaubens, um ein Wunder als solches zu sehen), dann scheint das Durchbrechen von Naturgesetzen für das Funktionieren des Mirakels nicht erforderlich zu sein (hierauf aber muß ich noch zurückkommen). Von der Erschließungstheorie her ist die Bedeutung von »Durchbrechen« und aller sinnverwandten Ausdrücke, die in Verbindung mit dem Wunder so häufig gebraucht werden, ausreichend, wenn es dabei nicht um Naturgesetze geht, sondern um den oben beschriebenen gewohnten Gang der Dinge (und das ist bereits der Fall in Situationen, die außerreligiös etwa mit dem Ausruf »Da hab' ich Glück gehabt« gegeben sind; ein solcher Ausdruck aber trifft das Wunder eben nicht, weil die Verbindung zwischen Mirakel und – religiösem – Zeichen außer Betracht gelassen wurde). Ramsey, der von einer Monotonie ausgeht (was für eine nachbiblische Zeit zutreffen kann), spricht deshalb lieber von einem Durchbrechen oder von einem Unterbrechen im Sinne von einem »teabreak« (Teepause) für den Arbeiter oder von einem »schoolbreak« (Schulpause) für das Schulkind[26]. Abschließend kann man also sagen, daß das Wunder als Mirakel eine evokative Unterbrechung oder ein evokatives Durchbrechen des gewohnten Laufs der Dinge ist.

c) Interpretation des Zeichencharakters (signum)

Auf die Möglichkeit, daß nicht jeder, der das Ungewohnte und das Auffallende wahrnimmt, dies als Wunder sieht, wurde bereits hingewiesen: »Einige sagten, es habe gedonnert, andere

---

[26] In seinen oben (Anm. 25) erwähnten Vorlesungen

sagten, es habe ein Engel mit ihm gesprochen.« Jesus aber sagte: »Nicht um meinetwillen erklang diese Stimme, sondern um euretwillen; *jetzt* ergeht das Gericht über diese Welt« (Jo 12, 29 bis 31). Das Wunder ist in diesem Fall keine Ausnahme unter anderen Erschließungssituationen, wie etwa das Gewahren einer Pflicht, das »Sehen« der Harmonie in einem Kunstwerk usw. Hat aber jemand eine Erschließung bei einem Wunder, dann »sieht« er – ich beschränke mich auf die Menschen in der Hl. Schrift – Gott am Werk in dem Wahrnehmbaren. Wie kann diese Intuition zustande kommen?

Möglicherweise liegt die Antwort in dem erwähnten Zusammenhang von *miraculum* und *signum*. Das Durchbrechen des gewohnten Gangs der Dinge (miraculum) ist nämlich häufig eine Erschließungssituation, in der die Freiheit einer Person enthüllt wird. Wenn ein eingefleischter Junggeselle plötzlich heiratet, sagt man: »Sieh mal an, er scheint doch ein menschliches Wesen zu sein.« Natürlich können wir hinterher eine wissenschaftliche Erklärung finden: Wo hat er sich bloß am vorigen Wochenende herumgetrieben? Der springende Punkt liegt aber nicht hier, sondern in der Tatsache, daß seine Hochzeit uns völlig überraschte und uns auf diese Weise seine Freiheit enthüllte. Diskontinuität oder Durchbrechung des normal zu erwartenden Ablaufs kann in uns etwas auslösen wie: »Hier ist persönliches Aktivwerden, ein Handeln, hinter dem die ganze Person steht.«

Beim Wunder findet eine Art kosmischer Diskontinuität statt, und dies kann im Menschen etwas auslösen wie: ein freier Wille »hinter« dem Weltgeschehen. Die Struktur dieser Erschließung ist zu umschreiben als Katalysatorwirkung einer endlichen Erschließung beim Zustandekommen einer kosmischen Erschließung. Man mag des öfteren gerettet worden sein und eine Erschließung von der Person des Retters gehabt haben. Wenn aber nun die Natur selbst überraschend zu einer Rettungssituation wird (Durchzug durch das Rote Meer, mutatis mutandis die Sättigung einer großen Menge) und daraufhin von freiem Willen gesprochen wird (und das ist nicht so befremdend, weil – diesmal in der Natur – eine Diskontinuität vorliegt, ein Durchbrechen des Ablaufs der Dinge, wie er als normal angesehen wird), kann Gott als der in der Welt Handelnde erschlossen werden.

»Wunder« und »freier Wille« sind dann logische Parallelen, insofern sie die Situation einer Person anzeigen, die mehr erfordert als Beschreibung in einer wissenschaftlich genauen Sprache. Im Wunder nimmt eine in sich unpersönliche Sphäre die Züge von etwas Persönlichem an: Die Situation ist neutral–objektiv, beobachtbar *und mehr*, nämlich persönlich. Eine wissenschaftliche Sprache kann dabei angebracht sein, aber für das »mehr« ist für den Gläubigen eine andere, nämlich die religiöse Sprache erforderlich, eine Sprache, die der Situation gerecht wird, insoweit diese nämlich nur teilweise beobachtbar ist, und die das »mehr« in Worten beschreibt, die sich auf eine Person beziehen. Als Verknüpfung von »miraculum« und »signum« ist das Wunder eine Diskontinuität, eine treffende Koinzidenz, ein Durchbrechen des normalen Gangs der Dinge, eine »nonconformity«, die auf Gott verweist und auf sein liebevolles und mächtiges (das heißt rettendes) Am-Werk-Sein mit den Menschen. Das Wunder enthält den gleichen Anspruch in bezug auf die objektiven Merkmale einer bestimmten Situation wie der freie Wille in bezug auf die subjektiven Merkmale anderer Situationen; man möchte sagen, es beansprucht Freiheit im Universum (Rl 171).

Dieser Anspruch zentriert sich um eine Diskontinuität, um eine Durchbrechung des gewöhnlichen Ablaufs der Dinge. Die Funktion des Wunders als Zeichen besteht in einem Freiheitsanspruch in bezug auf das Universum, und das anläßlich einer Unterbrechung des normalen Ablaufs der Dinge (wie oben beschrieben) oder einer Durchbrechung der Monotonie (für Menschen, auf die Augustinus anspielt). Als Einheit von Mirakel und Zeichen ist das Wunder ein Geschehen, das den Gläubigen dermaßen trifft, daß er sagt, oder besser – um den Titel des Buches van Peursens zu verwenden – daß er voll Freude ausruft: »Er ist es wieder!«

d) Wunder und artikuliertes Sprechen über Gott

Es steht fest, daß das Wunder eine empirische Grundlage war, um über Gott in Worten zu sprechen, die sich auf eine Person beziehen. Dies wird z. B. in H. Farmers »The World and God« sehr deutlich ausgesprochen: »Im Wunder erreicht die Erfahrung Gottes als Person ihre größte Dichte« (118); »Das Wunderbare an Gottes schöpferischer und erhaltender Macht gibt die notwendige Voraussetzung des Wunders an, nämlich, daß Gott als Schöpfer Macht hat über alles. Das Wunder selbst aber wird durch die Tatsache bestimmt, daß Gott diese Macht gebrauchen kann und auch tatsächlich gebraucht in seinem erlösenden Handeln als Antwort auf außergewöhnliche Not« (120); »Das Wort ›Wunder‹ erreicht also für den religiösen Menschen seine höchst intensive und charakteristische Bedeutung in der Antwort auf Gebet um Hilfe in einer Situation, die er in bezug auf sein persönliches Schicksal als besonders kritisch erfahren hat« (125); »Deshalb ist der religiös Gesinnte immer dazu geneigt, am Begriff des Wunders festzuhalten, auch wenn er selbst den Grund dafür nicht klar verstanden hat und sich sogar deshalb etwas schämt. Es ist ein Festhalten an der Idee des Persönlichen in Gott gegenüber all denjenigen Theorien, die das Universum auf ein System von eisernen Gesetzen reduzieren und alles Persönliche aus dem letzten Grund verbannen möchten« (126).

Liest man diese Ausführungen, so klar sie auch sein mögen, so wird man mit einer solchen Vielfalt von Problemen konfrontiert, daß es kein Vorwärtskommen gibt ohne die Mühsal der kleinen Schritte. Ein erstes Problem – und nicht einmal das schwerste – besteht darin, daß diese Texte einen Widerspruch zu enthalten scheinen. Folgt man dem letzten Text, so ist das Wunder die Grundlage, um über Gott als Person zu sprechen; stützt man sich auf den vorhergehenden Passus, so scheint eher das Gebet die Grundlage dafür abzugeben. Das deutet darauf hin, daß es in der Tat andere Wege gibt, über die man zu Gott als Person gelangen kann (aber davon ist ja hier nicht die Rede). Das Eigentliche beim Wunder ist aber, daß es (für den, der die Erschließung erlebt) die Struktur einer Antwort *in* einer wahrnehmbaren Wirklichkeit besitzt: »The situation comes alive in a personal way« (die Situation kommt auf eine persönliche Weise zum Leben), in einer Durchbrechung des gewöhnlichen Ablaufs der Dinge oder (später) der Monotonie. Als Antwort auf das Gebet ist das Wunder genau jene Gegenseitigkeit des Handelns, die das Kennzeichen der Person ist. Ohne Antwort wird keine echte Personenrelation zustande kommen können, man wird zu unsicher sein über die Gegenseitigkeit. Ist das nicht oft die Klage beim Gebet, daß man keine Antwort erhält? Und selbst wenn jemand beim Beten in heutiger Zeit keine Antwort erfährt, so ist es möglich, daß er das Vertrauen in das personale Verhältnis bewahrt aufgrund der Tatsache, daß Gott der Menschheit ja geantwortet hat.

Die Frage ist nun aber – und sie ist viel schwieriger –, ob tatsächlich Wunder geschehen sind und ob sie die Struktur einer Antwort haben. Es ist klar, daß der Frage, ob es Wunder gibt, eine andere Logik zugrunde liegt als etwa der Frage, ob es Sauerstoff gibt (MI 26). Sieht man diesen logischen Unterschied nicht, dann hält man die positiv-wissenschaftliche Sprache für eine adäquate Beschreibung der Wirklichkeit; das aber beansprucht sie in keiner Weise. Die Frage liegt eher auf der Linie einer bestimmten Art der Geschichtsschreibung (nämlich der theologischen), so daß man genauer fragen muß: »Hat bei der und der Gelegenheit (Auszug der Israeliten) das Wunder (Durchgang durch das Rote Meer) stattgefunden?« (MI 26). Aber auch hier ist Vorsicht geboten. Selbst wenn man beweisen kann, daß beim Auszug Israels das Rote Meer »durchgehbar« war, hat man noch gar keinen Beweis für das Wunder selbst (auch dann nicht, wenn man das Geschehnis auf natürliche Weise nicht erklären kann; man weiß z. B. nicht, ob es unerklärbar ist). Es gibt also einen logischen Unterschied zwischen theologischer und beispielsweise politischer Geschichtsschreibung. Berücksichtigt man diesen Unterschied, so verbleibt aber die historische Frage, nämlich ob die Annahme des wunderbaren Charakters dieses Auszugs die größte »stable historical insight«, das heißt die best»bewährte historische Einsicht« abgibt, die an Bedeutung gewinnt, wenn man noch andere Geschehnisse mit einbezieht. Die Wahrscheinlichkeit wird dann nicht größer dadurch, daß dieser Wunderbericht an mehreren Stellen im Alten Testament vorkommt (das kann eine Frage von kritiklosem Übernehmen sein), sondern dadurch, daß sich das Muster, für das dieses Wunder relevant ist, über das ganze Alte Testament als kohärenter Bericht der Auserwählung Israels ausdehnt (MI 27). Die gewöhnliche Geschichtsschreibung kann dabei sogar zu Hilfe kommen, indem sie uns vor die ungewöhnliche Tatsache stellt, daß dieses kleine Volk so eine enorme Geschichte hat (die sogar nach dem Untergang des Königreiches weitergeht) und so eine reine Gottesvorstellung (ohne sich in anderen Punkten als der erwähnten Sicht auszuzeichnen), wogegen man beispielsweise über Edom, Moab und Ammon nichts weiß außer durch die Hl. Schrift: ein ungewöhnliches Faktum als Basis für eine disclosure. Aber auch und vor allem wird man Glaubensdokumente und Israels Sicht der Vergangenheit kritisch heranziehen müssen, denn das Wunder ist etwas im Kontext des Glaubens.

Glaubt man einmal, eine affirmative Antwort auf die Frage geben zu können, ob das in Frage stehende Wunder vorkam, dann scheint damit zugleich die Empfehlung gegeben, dieses Geschehen sprachlich festzuhalten durch theologische Ausdrücke wie »persönliches Handeln Gottes« oder »Antwort auf Gebet«. Man beansprucht damit, daß es empirische Tatsachen gibt, wofür man normalerweise weder »Person« noch »Gott« gebrauchen würde und die nun doch diese Worte verlangen, wenn man sie adäquat beschreiben will. Es kommt dabei nicht so sehr darauf an, ob man »Antwort« oder »Handeln« gebraucht, um die Struktur des Wunders anzugeben. (Es ist möglich, daß ein Wunder erst im Nachhinein als solches erkannt wird, und vielleicht braucht es gar nicht immer erbetet zu sein.) In beiden Fällen besteht das Problem darin, ob Gott »hinter« dem Geschehen steht. (Ob dies als ein »Eingreifen« verstanden werden muß, wird beim Werten dieser Sprechweise behandelt werden.)

Auch dieses Problem fällt in Teilprobleme auseinander, von denen einige hier erörtert werden können. Eine fundamentale Frage z. B. ist die, ob es immer Gott ist, der am Objekt-Pol des personalen Verhältnisses steht, für das man das Wunder anscheinend ansehen muß. Die Antwort ist abhängig von der Frage, ob die kosmische Erschließung, die in der Wunder-Situation vorliegt, reell ist oder Selbstbetrug. Ist die Erschließung reell, dann kann man, mit Vorbehalt, eine affirmative Antwort formulieren aufgrund der Tatsache, daß alle kosmischen Erschließungen auf ein x hinweisen, das »hinter« dem Universum liegt. Der kosmische, das heißt der alles einschließende Charakter dieser Erschließungen läßt es als vernünftig erscheinen, anzunehmen, daß sie uns mit einer einzigen Individualität konfrontieren, und diese nennt man für gewöhnlich »Gott«. Ein Vorbehalt ist hier jedoch angebracht: Manchmal deutet man den Inhalt der kosmischen Erschließung doch an mit »absoluten Werten«. Wir werden sehen, wie diese Sprechweise in eine Deutung zu integrieren ist, in der »Gott« vorkommt.

Ist aber die Erschließung, die man hat, wirklich reell? Viele meinen, Wunder oder besondere Vorsehung zu sehen, wo nüchterne Menschen nichts von all dem gewahr werden. Die Ägypter »sahen«, daß die Katze ein göttliches Wesen ist, und für Inder scheint die Kuh eine Erschließungssituation zu sein.

Auch hier wird man die Dinge von Fall zu Fall in Augenschein nehmen müssen, und zwar anhand von Normen, die oben (wenn auch nicht explizit) mit Bezug auf den Wundercharakter des Exodus zur Anwendung kamen, nämlich anhand des »test of empirical fit« (des Tests der empirischen Tauglichkeit) und des Konsistenz-Tests, als Antwort auf die beiden Wahrheitstheorien, die der Korrespondenz und die der Kohärenz. Bekanntlich schließen diese Theorien einander nicht aus, sondern ergänzen einander, denn die eine betrifft die Übereinstimmung einer Aussage mit der Wirklichkeit und die andere den Zusammenhang mit anderen Aussagen. Beim ersten Test muß man untersuchen, ob die Annahme eines Wunders die beste Erklärung ist für eine größtmögliche Anzahl von Tatsachen. So verfährt beispielsweise auch der Psychiater: Die Diagnose »eine geringfügige Depression« siegt über die des »psychotischen Falls«, wenn der Patient kohärent spricht, an allem schwer trägt, sich seines Zustandes bewußt ist und baldige Besserung eintritt. Der Exodus als Wunder ist aller Wahrscheinlichkeit nach die beste »overall-explanation« (alles umfassende Erklärung) der Geschichte Israels. Ich kann mir dann auch vorstellen, daß dieses Geschehnis erst im Nachhinein als Wunder gesehen wurde; die »empirische Tauglichkeit« zeigte dann in diese Richtung. Der Konsistenz-Test packt am schärfsten im negativen Fall zu, wo man sogar von einem Falsifikationsprinzip sprechen könnte. Dt 13, 2–6 und Mt 24, 23–28 spielen darauf an, auf die falschen Propheten nämlich, »die ›sèmeia megala kai terata‹ vollbringen werden, so daß sie, wenn es möglich wäre, sogar die Auserwählten verführen würden«. Als Richtschnur wird dann angegeben, man soll sich an das Wort Christi halten (Mt 24, 25–26) und prüfen, ob ihre Botschaft mit der reinen Lehre übereinstimmt (Dt 13, 3–4) – eine typische Frage der Konsistenz.

Im positiven Fall (der reinen Lehre) ist das Verifikationsprinzip theologisch nicht anwendbar[27]; erst aus dem Zusammenhang mit anderen Glaubensaussagen kann man zu einer gewissen Wahrscheinlichkeit oder besser »Nicht-Unannehmbarkeit« gelangen (darüber bald mehr). Einen strengen Beweis (für das Positive) gibt es also nicht. Muß man dies alles dann als subjektiv bezeichnen? Mir scheint, diese Schlußfolgerung geht zu weit, weil dann der ganze Glaube subjektiv ist; der Glaube kann nicht bewiesen werden.

Die große Frage bei allem, was vorher gesagt wurde, ist, ob und in welchem Sinn man vom Handeln Gottes in der Geschichte sprechen kann: Welchen Wert hat das Sprechen über Gott als Person? Gerade das hat das Wunder ja immer beansprucht. Hier wird es nötig sein, die Implikationen zu untersuchen, die aus der Tatsache resultieren, daß diese Sprechweise in einer Erschließung verankert ist. Möglicherweise ist es wohl klar, daß man eine Erschließung braucht, um, von dem Wahrnehmbaren her, zu Gott zu gelangen, eine Intuition dessen, was an der Situation über das Beobachtbare hinausgeht. Wo aber eine Erschließung nötig ist, wird es niemals möglich sein, vollständig zu artikulieren, was man gesehen hat. Ein vollständiges Artikulieren (was gleichbedeutend wäre mit einfacher Beschreibung) würde die Erschließung überflüssig machen; evokative Beschreibung wäre dann ein unnötiger Umweg. So wird auch das Sprechen über Gott aufgrund des Wunders nicht weiter kommen können als zu einem Andeuten, einem Hinweisen oder einem Aufrufen.

In einer solchen Situation sind weniger spezifische Aussagen mehr zu bevorzugen als detailliertere, wenigstens in bezug auf die Zuverlässigkeit des Sprechens (beim suggestiven Wert ist es umgekehrt). Man wird eher Zustimmung finden für die Aussage, daß es doch etwas »hinter« dieser Welt geben muß, als für die

---

[27] Als Begründung dafür s. die Veröffentlichungen von *C. A. Schoonbrood:* Zur Logik erfahrungstranszendenter Erkenntnis, Wissenschaft und Weisheit 24 (1961), 182–199; Theologisch taalgebruik in het licht van de wijsgerige betekenis-analyse, Jaarboek 1965/966 Werkgenootschap van Kath. Theologen in Nederland, Hilversum 1966, 107–131; Bewijsbaarheid en betekenis. Het theologisch taalgebruik in diskussie, Streven 19 (1965–1966), 841–848; Bewijsvoering in de filosofie, Wijsgerig Perspektief 8 (1967–1968), 161–171

Lehre von einer »praemotio physica«. Das Sprechen über Gott als »Person«, als »Handelnder« liegt, was den spezifischen Inhalt anbetrifft, in der Mitte zwischen diesen beiden Sprachniveaus. In diesem Sinne ist es eine weniger unzuverlässige Art des Sprechens als die letztgenannte von detaillierterem Niveau. Die Vorstellung, die das Kind vom Leben seiner Eltern hat, wird sehr verschieden sein von ihrem Leben, so wie sie es selber kennen. Es wird dann auch beim Heranwachsen beinahe alles von seiner Vorstellung revidieren müssen. *Eine* Überzeugung aber bleibt als »overall-explanation« von dem, was das Kind in seinen Eltern sieht: daß sie Personen sind (PG 67). Dies hat es entdeckt in Erschließungen, die stets auf denselben Punkt zielen, ein Zentrum »hinter« dem Handeln, dessen Kennzeichen die Gegenseitigkeit, das Reagieren ist. Auch das Spielen mit dem Hund hat diesen Charakter, so daß das Kind den Hund anfänglich als einen Mini-Menschen ansehen kann, ihm selbst sehr nahe. Dieser Eindruck aber wird dadurch korrigiert, daß der Hund nicht am Tisch mitessen darf, nicht auswärts arbeitet und zur Urlaubszeit im Asyl bei seinen Artgenossen untergebracht wird. Hier fällt der Test negativ aus: Der Hund ist infra-personal. Beim Sprechen über Gott als Person im Anschluß an das Wunder fällt der Test jedoch günstiger aus: Dieses Sprechen gewinnt an Zuverlässigkeit, insofern dabei auf kohärenteste Weise gesprochen wird, nicht nur über das Wunder, sondern auch über Gnade, Gebet und Vorsehung; es ist die Personensprache, die diese Sprechweisen verbindet und die Existenz der gemeinten Dinge erklärt.

Mit all dem kommt man jedoch nicht weiter als daß die Personensprache innerhalb des Sprechens über Gott einen nicht zu ungünstigen Platz einnimmt, auch wenn Tillich, Robinson u. a. die Spezifizierung als zu hoch ansehen und lieber von »der Tiefe unserer Existenz« reden, als Gott »Person« zu nennen. Das Sprechen über Gott als Person kann die Transzendenz Gottes in Gefahr bringen. Dies gilt jedoch, wenn auch psychologisch in unterschiedlichem Maße, von jedem Sprechen über Gott. Zu Recht wehrt sich dann auch Paul van Buren nicht nur gegen den buchstäblichen Theismus (ein Gott, der in die Welt eingreift, wie die Mythen ihn beschreiben), sondern auch gegen das, was er einen »qualified theism« nennt: das Herankommen an Gott als ein Seiendes neben anderen

Seienden. Diesem Herangehen kommt man bereits gefährlich nahe, wenn man Gott »einen Seienden« nennt; das ist vielleicht der tiefere Hintergrund, warum Leslie Dewart Gott nicht ein »Seiendes«, ja nicht einmal ein »super-being«, höchstes Seiendes, nennen will, trotz der minimalen Spezifizierung dieses Ausdrucks[28]. Die Zweideutigkeit der Situation wird aber offenbar, wenn er anschließend sagt (S. 177): »Nichtsdestoweniger offenbart sich eine Wirklichkeit hinter der Gesamtheit des Seienden, und zwar durch ihre *Präsenz*. Hinter allem, was augenblicklich existiert, kann etwas für uns gegenwärtig sein in unserer Erfahrung, so wie »wenn ich die Anwesenheit eines Menschen wirklich verspüre... diese mir mich selbst offenbart und mich mehr mich selbst macht, als es der Fall wäre, wenn ich nicht unter seinem Einfluß stünde (G. Marcel, The Mystery of Being I, S. 205)«.

Weil das Sprechen über Gott, soll es sinnvoll sein, sich auf Erschließungen stützen muß, ist es ein Sprechen in Modellen, nämlich in einer evokativen Beschreibung des Weges, über den die Erschließung zustande kommen kann. »Gott ist Person« gibt dann an, worauf man zielt, wenn durch Anwendung des Modells »Person« auf das Universum als Ganzes eine Erschließung stattfindet. Ebenso muß man sich darüber im klaren sein, daß der Ausdruck »Eingreifen« Gottes – der so oft beim Wunder gebraucht wird – nur ein Modell ist, sogar ein weniger glückliches Modell, weil der Mensch so leicht ein »Seiendes neben anderen Seienden« damit verbindet, das aus seiner Welt heraus (falls die unsrige nicht die seinige ist) »übergreift«; eine zulässige Erweiterung dieses Modells von der Intervention Gottes könnte bestenfalls darin bestehen, daß Freiheit sich in der Welt ausdrücken kann, das heißt, daß die Welt eine Epiphanie von Freiheit sein kann, eine Doxa (im johanneischen Sinne).

Man kann also Gott nur »Seiendes« nennen, insofern dieser Term evokativ gemeint ist: Gott als das, was enthüllt wird, wenn man den allerletzten Implikationen der Wirklichkeit nachgeht. Terme über Gott entlehnen ihre Bedeutung dem Weg und nicht dem End-

---

[28] *Leslie Dewart*, The Future of Belief. Theism in a World Come of Age, London (Burns and Oates) 1967, 175–177. Vgl. zu dieser Frage auch *J. Verhaar*, Theism Today and Tomorrow, in: The Future of Belief Debate, ed. by G. Baum, New York (Herder and Herder) 1967, 170–171

punkt, zwischen beiden verbleibt ein logischer Abgrund. Wenn dem aber so ist, wird dann das orthodoxe Sprechen über Gott nicht *bloß* eine Frage der Ethik oder der Pädagogik? Gewisse Menschen (z. B. die Ägypter) erreichten Gott über die Katze; warum ist es dann für einen Christen nicht richtig, Ihn eine Katze zu nennen, wenn die Namen für Gott doch nur einen (tatsächlich begangenen) Weg zu einer Erschließung angeben? Keine semantische Regel scheint dagegen zu sprechen. Dennoch scheint es nur so; trotz der Kluft zwischen Weg und Endpunkt besteht ein Zusammenhang; Modell und Resultat (die Erschließung) sind kontextuell verbunden. Das Resultat einer Kreisübung kann man nicht »Weihnachtsstollen« nennen, denn der Kontext des Modells ist planimetrisch und nicht kulinarisch[29]. Die Katze als Seiendes ist ein geeigneter Kontext für die Gottes-Erschließung, aber nicht als spezifisches Wesen »Katze«. Und das wiederum wird entschieden durch die beiden Tests (»empirical fit« und Kohärenz), denen zufolge die Aussage »Gott ist infra-personal« zurückgewiesen werden muß. Negativ gesehen bildet die Glaubensüberzeugung nämlich einen Rahmen, der bestimmt, welche Aussagen nicht annehmbar sind. Gerade wegen der Erfahrung des Wunders lehnt der Gläubige die Aussage ab, Gott sei infra-personal. Von der positiven Seite her bietet die religiöse Sprache weniger Handfestigkeit, sie bleibt ein Sprechen in Modellen. »Wir können nicht aus der Haut hinaus«, und Gott ist transzendent. Gott wegen des Wunders »Person« zu nennen, trifft aufgrund seiner Transzendenz noch weniger zu, als den Menschen wegen seiner vegetativen Züge »Pflanze« zu nennen oder etwa einen Kreis als »Vieleck« zu bezeichnen, auch wenn die Anzahl seiner Ecken unendlich genannt wird. Welchen Sinn hat es dann noch, gleich welche Sprache für Gott zu verwenden, es sei denn einen pädagogischen – und das ist nicht unwichtig! –, um anderen einen Weg zu zeigen, über den sie möglicherweise zu einer ähnlichen Erfahrung (Erschließung) kommen können als der unsrigen? Bleibt der Mensch auf seinem Weg zu Gott notgedrungen im Stacheldraht des Modells hängen, und gibt es keinen anderen Ausweg mehr?
In Diskussionen mit Studenten (z. B. Rex Ambler) in Oxford fiel

---

[29] Vgl. Kap. I, 20 und 23, vor allem Fußnote 10

mir auf, daß man Ramsey den Vorwurf machte, er betreibe eine allzu indirekte Theologie, weil er sie auf eine »Modell-Sprache« reduziere. Damals fanden wir keinen befriedigenden Ausweg. Jetzt aber, bei den Überlegungen über das Wunder, scheint sich eine Lösung abzuzeichnen. Mir scheint nämlich, daß neben dem Modell das Einführen einer anderen Kategorie gerechtfertigt ist. Ich meine das Symbol. Das Modell ist eine Sammlung von Elementen, ein Weg zu einer anderen Wirklichkeit, es wirkt evokativ, ist stark strukturiert und braucht nicht allzeit wahrnehmbar zu sein. Das Modell ist ein Erkennungsmittel oder (mit Bezug auf die Erarbeitung einer Theorie) ein Ordnungsprinzip. Das Symbol hingegen ist viel direkter; man kann es vielleicht umschreiben als die Anwesenheit des Transempirischen in dem Wahrnehmbaren. Es ist kein Weg zu etwas anderem, sondern setzt es gegenwärtig; es hat den Charakter von Totalität, ist jederzeit wahrnehmbar (wiewohl es nicht immer in seinem Symbolcharakter erkannt wird) und ist primär nicht so sehr Erkennungsmittel als vielmehr Seinsweise. Wahrscheinlich bleibe ich Ramseys Intention treu, wenn ich die Erschließung als eine Symbolerfahrung umschreibe, deren Inhalt sich nur in Modellen artikulieren läßt.

Nun ist das Wunder selbst kein Modell (es sei denn, es erfülle den Zweck eines Vorzeichens), sondern ein Symbol, Gestalt dessen, was es bedeutet, ohne Abstand zwischen Zeichen und Bezeichnetem. Gott ist nicht irgendwo »hinter« dem Wunder, sondern »darin«; das Wunder ist eine Epiphanie, Gottes Nähe beim Menschen. So wie der Gläubige es erlebt, ist das Wunder der Vollzug von Gottes persönlicher, rettender Anwesenheit, genauso wie der Händedruck (Symbol) selbst der Gruß ist[30]. Ein Wunder erleben (im Glauben also) heißt konfrontiert sein. Die Beschreibung des Objekt-Pols darin geschieht aufrufend, durch Modelle, also lediglich annähernd. Gott, der den Menschen konfrontiert, bleibt, anders gesagt, unaussprechlich. »Es gibt allerdings Unaussprechliches. Dies zeigt sich. Es ist das Mystische« (Wittgenstein, Tractatus 6.522). Es zeigt sich als anwesend im Symbol.

Hier berühren wir eine Wahrheit, die für unsere Zeit anscheinend immer wichtiger wird, nämlich, daß die Transzendenz Gottes

---

[30] Das Beispiel stammt von *Monden*, 35–36

nicht einseitig als totales Anders-Sein erfaßt werden kann. Sie schließt auch die Immanenz ein oder, wie Dewart sagt, die Präsenz. Am Charakter des theologischen Sprechens ändert das nicht viel, es bleibt ein Sprechen in Modellen. Aber es erinnert daran, daß dieses Sprechen in einer Erfahrung entsteht, die man »das Schweigen« nennen könnte, »les voix du silence«[31], die vor dem inspirierten Sprechen als Voraussetzung gegeben sind, das Offensein für das, was sich zeigt, die Haltung des Gläubigseins. Zugleich illustriert das Wunder als Symbolerfahrung, daß es mehr geben kann als das, was man in Worten auszudrücken vermag. Ob man Theologie nun als Modell-Sprache oder als Analogie versteht, sie bleibt ein Stammeln über das, was alles Sprechen übersteigt.

Es ist nicht ohne Interesse, die Verschiebung hervorzuheben, die Dewart etwas weiter (S. 184–185) angibt mit: »Was ›nachgewiesen‹ werden muß, ist nicht, daß Gott existiert. Das, was einen ›Beweis‹ verlangt, ist Gottes *Gegenwart*.« Es hat Augenblicke gegeben, in denen man die Nähe Gottes und seine Immanenz in der Welt stark erfahren hat: die Wunder. Daß diese auch für unsere Zeit der bestgeeignete Weg zu Gott sind, ist damit nicht behauptet. Aber auch von diesem Gesichtspunkt aus ist das Wunder von großer methodischer Wichtigkeit; das Problem des Wunders ist letztlich das Problem des Gleichgewichts zwischen Gottes Transzendenz und Immanenz. Das wird deutlich, wenn die Frage des »Durchbrechens von Naturgesetzen« zur Sprache kommt.

2. Wunder und Wissenschaft

Bis hierher wird wohl klar geworden sein, daß man der Bedeutung des Wunders dann nie näherkommt, wenn man die miraculum-Funktion (Außergewöhnliches) und die signum-Funktion (Hinweis auf einen freien Willen) auseinanderreißt. Und doch ist

---

[31] Vgl. *M. Merleau-Ponty*, Le langage indirect et les voix du silence, in: *Ders.*, Signes, Paris (Gallimard) 1960, 49–104

es diese Entkoppelung, welche die Diskussionen um das Wunder seit dem 18. Jahrhundert gekennzeichnet hat. Anfänglich beschränkte man sich – unter dem Druck der aufkommenden Rationalisten – auf den »miraculum«-Aspekt; die Theologie des Wunders wurde vornehmlich eine Apologetik der Möglichkeit und der Tatsächlichkeit, daß Naturgesetze durchbrochen wurden. In diesem Kontext konnte man das Wunder dann als Beweis für Gottes Handeln verwenden oder als Garantie dafür. Um die letzte Jahrhundertwende begann man »the other way round« einzuschlagen: Der Glaube wurde inzwischen viel mehr als eine persönliche Wahl gesehen, ein Eingehen auf die Gnade, so daß es weniger auf Evidenz ankam. So konnte der Akzent mehr auf das »signum« gelegt werden; man betrachtete die Wahrheit des Christentums als (für jemand) gegeben und sah in diesem Kontext gewisse Geschehnisse als das, was erwartet werden kann, wenn Gott auf einmalige Weise in die menschliche Geschichte einbricht. Heutzutage sieht man wohl, daß beide Aspekte, das Wunderbare und das Zeichen-Sein, verbunden werden müssen; das aber stellt den Theologen, infolge der Entwicklung unserer Kultur, vor das Problem, wie theologische und wissenschaftliche Annäherung sich zueinander verhalten. Ihre Gegensätzlichkeit ist bereits einigermaßen abgeschwächt dadurch, daß man das »Durchbrechen von Naturgesetzen« ruhen ließ und bei der Beschreibung des Wunders mehr die Wörter »auffallend« oder »ungewohnt« verwendete. Eine prinzipielle Stellungnahme ist das aber nicht. Und doch ist es gerade diese, die heute gefragt ist.

a) Wissenschaftliche Erklärung und Wunderberichte schließen einander nicht aus

Mit Recht hat Lewis darauf hingewiesen, daß es sich mit Wundern anders verhält als mit Seeungeheuern [32]. Von der Existenz dieser letzten wird nämlich berichtet, als handle es sich um eine wissenschaftlich feststellbare Tatsache; die Berichterstattungen nähern sich sogar dem Wiener Ideal von »Protokollsätzen«: »An dem und dem Tag, zu der und der Zeit sah Kapitän N mit seinem

---

[32] *Lewis,* 51–52

Fernglas in Höhe von Punkt P Wesen, die ...« usw. Das moderne Gegenstück dazu besteht aus Berichten von Piloten, die fliegende Untertassen gesehen haben; es kann zutreffen oder auch nicht, das muß wissenschaftlich entschieden werden. Bei Wundern liegt es grundsätzlich anders, was man vielleicht am einfachsten dadurch ausdrücken kann, daß man sagt: »Ein durch ein Tief verursachter Ostwind« ist logisch verschieden von »Gott ließ einen Ostwind aufkommen«. Es geht mit anderen Worten um zwei verschiedene Bezugsrahmen, zwei verschiedene Kontexte; das aber besagt, daß Aussagen auf dem einen Niveau mit Behauptungen auf dem anderen Niveau niemals in direktem Widerspruch stehen können; Widerspruch setzt nämlich Identität der Terme (der Ausdruckskategorien) voraus.

Ein ungewohnter Gang der Dinge kann die Aufmerksamkeit des wissenschaftlichen Forschers wie auch die des Gläubigen auf sich lenken. Ist man beides zugleich, dann hat man zwei verschiedene Denkmuster oder Denkrahmen. In dem einen Rahmen, dem wissenschaftlichen, ist man bestrebt, die außergewöhnlichen Fakten in einer (stets wachsenden) Konformität (Übereinstimmung) unterzubringen. Das ist nicht unreligiös (obschon auf diese Weise das Eigentliche am Wunder verlorengeht); es kann sogar zu kosmischen Erschließungen führen, wenn das Weltall über den sich immer weiter ausdehnenden Rahmen der Ursächlichkeit und Zweckmäßigkeit zum Leben kommt, um nur ein Beispiel zu nennen[33]. Solche Erschließungen kann man jedoch nur als indirekte

---

[33] Bekannte Beispiele sind Whitehead und Teilhard de Chardin. Die moderne Version des teleologischen Arguments basiert nicht mehr auf dem zweckmäßigen Bau des einzelnen Organs (worüber jemand einmal spöttisch sagte: »Wie ist die Nase doch zweckmäßig geformt, daß eine Brille präzise darauf paßt«): man hat aus Darwins Evolutionstheorie gelernt. Viel eher verweist man heute auf die Ganzheitsstruktur der Welt und auf das Ausgerichtetsein der Evolution in der Welt. Neben dieser Art von Argumenten, auf die einzelne Ergebnisse wissenschaftlicher Untersuchungen nicht viel Einfluß haben, gibt es heutzutage solche Argumente (ich würde lieber sagen: Erschließungstechniken), die enger mit wissenschaftlicher Untersuchung zusammenhängen, z. B. daß die zunehmende Entropie eine Schöpfung durch Gott nicht unannehmbar macht, daß die Physik wegen ihres abstrakt-mathematischen Charakters in Richtung einer geistigen Grundlage der Wirklichkeit weist usw. Vgl. *I. G. Barbour*, Issues in Science and Religion, London (S. C. M.) 1966, 132 bis 133

Folge wissenschaftlicher Forschung ansehen. Das andere Denkmuster besteht darin, daß man durch das Wunder als solches getroffen wird, wobei die Einordnungsmöglichkeit unter eine uniforme Regel nicht oder kaum interessiert; dem Gläubigen geht es unmittelbar um die Erschließung von Gottes Handeln. Ein und dieselbe Tatsache kann also in den Kontext einer Erklärung (Wissenschaft) gestellt werden oder in den Kontext einer Überraschung (Wunder). Das ist weniger befremdend, als es zunächst aussieht. Niemals gibt es nur eine Erklärung für eine Tatsache oder nur ein Herankommen an ein Faktum. Nehmen wir als Beispiel die menschliche Person (das ist immer sehr aufschlußreich): Man kann den Menschen betrachten als einen physikalischen Körper (etwa in einem Aufzug: »Nicht mehr als vier Personen oder 280 Kilogramm«), man kann ihn betrachten als ökonomischen Faktor (die Jugend als Markt für Beat-Musik), als durch leibliche und seelische Bindungen bestimmt oder auch als freies Wesen. Keiner dieser Gesichtspunkte schließt den anderen aus. Das Wunder als »free-will claim« (Freier-Wille-Anspruch) steht ebensowenig im Gegensatz zum wissenschaftlichen Erklärungsmuster für die Welt wie die anthropologische Stellung des freien Willens im Gegensatz zur Determiniertheit des Menschen steht. »Freier Wille« deutet das typisch Persönliche in einer Situation an, die mit einem Sprachspiel der Ursächlichkeit niemals vollständig beschrieben werden kann. Als Philosoph muß man sogar sagen, daß es eine Folge aus der Natur des Menschen als »synholon« ist (Aristoteles' Terminus für das aus Form und Materie Zusammengesetzte), daß die menschliche Freiheit sich *in* der Determiniertheit abspielen muß; Freiheit besteht im Umspielen seiner Determinationen. Jede Beschreibung aber, die bei diesen Determinationen stehenbleibt, reicht nicht aus für ein vollständiges Herankommen an den Menschen. Beim Wunder kann es durchaus möglich sein, daß eine wissenschaftliche Erklärung zutrifft (ob das immer der Fall ist, wird später erörtert werden), aber neben dieser Präzisionssprache ist eine eigenartige Sprache notwendig, die berücksichtigt, daß die Situation nur zum Teil beobachtbar ist; diese Sprache wird es sein, die im Falle eines Wunders das »mehr«, das typisch Religiöse, durch Personal-Termen angibt.

b) Wissenschaftliche Erklärung und Wunderberichte ergänzen einander

Für den Gläubigen ist es denkbar, daß der vollständige Bericht eines Geschehens wie des Durchzugs durch das Rote Meer neben der wissenschaftlichen Beschreibung auch eine religiöse Interpretation erfordern kann. Etwas so Objektives wie der Durchzug durch das Rote Meer erfordert dann, um vollständig beschrieben zu sein, auch noch eine Personensprache von kosmischer Tragweite. Es geht hier jedoch keineswegs um so etwas wie das in der Physik angewandte Prinzip der Komplementarität. Dieses Prinzip kann nämlich beinhalten, daß man den Zusammenhang, die Möglichkeit der Synthese von zwei Untersuchungsergebnissen, nicht einsieht, und das bedeutet in unserem Fall, daß man in einer sprachlichen Dichotomie steckenbleibt zwischen Beschreibung der Welt, wie sie den positiven Wissenschaften zukommt, und einer »Sicht« (Prof. Hare sagt »blik«), einer Art und Weise, die Welt zu deuten, wie es z. B. der Theologe tut. Das aber ist eine doppelte Einseitigkeit, denn auch die wissenschaftliche Arbeit impliziert und *ist* grundsätzlich eine *Sicht*. Es war Hume, der uns lehrte, daß unser ganzer Umgang mit der Welt abhängig von unserer »Sicht der Welt« ist[34] (vgl. die »Einstellung« in der Phänomenologie). Der Gegenstand, das Objekt der Theologie ist mehr als eine menschliche Haltung, selbst dann, wenn sie nur Erklärung einer »Sicht« wäre (eine Frage, auf die wir hier nicht eingehen können).

Theologie und Wissenschaft verhalten sich nicht zueinander wie parallele »Erklärungen« ohne Zwischenverbindungen untereinander. Es gilt vielmehr: Die eine vertieft die andere. Man könnte sogar geneigt sein, den Kantschen Satz darauf anzuwenden: Begriffe (Theologie) ohne Sinneserfahrung (in diesem Fall das wissenschaftliche Material) sind leer, Sinneserfahrung ohne Begriffe ist blind. Was durch die Theologie »sicht«bar wird, ist das Per-

---

[34] Vgl. *R. Hare* in: New Essays in Philosophical Theology, ed. by A. Flew and A. MacIntyre, London (S. C. M.) 1963 (¹1955), 101. Der »blik« (die Sicht) bestimmt nämlich, was als (wissenschaftliche) Erklärung gilt und was nicht (ib.). Letztlich geht dieses Problem auf die Universalienfrage zurück. Z. B.: Stellen Zahlen eine Wirklichkeit dar oder sind sie bloß ein heuristisches Prinzip?

sönliche »hinter« dem objektiven Faktum des Durchzugs durch das Rote Meer. Oder, wie Loen sich ausdrückt: Die ontische Wahrheit der Naturwissenschaften muß zurückgeführt werden auf Ausgesprochensein durch Gott, den Schöpfer, ansonsten ist sie unvollendet[35]. Theologie verschafft der wissenschaftlichen Arbeit einen geräumigeren Kontext. Die »Sicht« der wissenschaftlichen Forschung ist die Gesetzmäßigkeit in der Natur. Sie besteht darin, daß nichts zufällig geschieht. Nur auf dieser Grundlage sind wissenschaftliche Erklärungen möglich. Man sucht nach einer Uniformität mit einem gewissen Spielraum für indeterminierte Prozesse (letzteres erforscht die Mikrophysik). Die Theologie sieht diese Uniformität als Widerspiegelung eines persönlichen, schöpferischen Tätigseins. So findet die Uniformität ihr Modell nicht in der Unveränderlichkeit des Dreiecks oder in der Messung mittels Chronometer, sondern in der Standhaftigkeit und dem sich treu bleibenden Handeln, also in der Person. Dies ist sehr deutlich im Alten Testament, wo z. B. der Regenbogen eine Erschließung erzeugte, daß Gott die irdische Gesetzmäßigkeit garantiert (Gen 9). So konnte auch das Fortbestehen der Welt als eine Form von Gottes Handeln erfahren werden.

Vergleichen wir Wunder und Wissenschaft näherhin, so ist es wichtig, folgendes festzuhalten: Für die in der wissenschaftlichen Forschung artikulierte Gesetzmäßigkeit kann Gottes sich treu bleibendes Handeln als Modell für den Theologen dienen. Es wurde bereits darauf hingewiesen, daß man von den positiven Wissenschaften her schon zu einer solchen Erschließung kam, eine Erschließung von Gottes »gewohntem« oder gesetzmäßigem Handeln. Nun aber ist das Wunder eine Erschließung von Gottes persönlichstem Handeln, seinem Heilshandeln (MI 22–24). Es ist eine Erschließung, in der die Macht Gottes intensiver erlebt wird, weil sie auf einen bestimmten Ort und eine bestimmte Zeit konzentriert ist. Man spricht dann von einem *besonderen* Eingreifen Gottes. Anders ausgedrückt: Gott kann sowohl über den Weg der Wissenschaft (natürlich nicht als Hypothese oder als Lückenbüßer) erreicht werden als auch über das Wunder. Beides ergänzt sich

---

[35] Geloof en natuurwetenschap II, Den Haag (Boekencentrum) 1967, 160–162

gegenseitig, insofern wissenschaftliche Forschung auf Gottes allgemeines Tätigsein mit der Welt (»general involvement«) hinweisen *kann* (es geht um eine Erschließung, ist also nicht garantiert), wogegen das Wunder uns von Gottes besonderem »Involviertsein« in der Welt berichtet, einem Gnaden-Handeln, also einer Art von Beteiligung, die am besten in der Sprache der personalen Beziehungen wiedergegeben wird. Das Verhältnis Arzt – Patient kann hier gewissermaßen als Vergleich herangezogen werden. Es handelt sich dabei immer um ein persönliches Verhältnis. Es ist weniger deutlich, wenn der Arzt seine »gewohnten« Patienten behandelt. Es tritt intensiver in Erscheinung, wenn der Patient sein bester Freund ist, den er seit Jahrzehnten nicht mehr gesehen hat (MI 23). »Hinter« dem Menü eines Restaurants kann immer derselbe Koch stehen; es gibt aber bestimmte Gerichte, die ihn verraten, weil er alles in sie hineinlegt, was er kann. Das sind Gerichte, in denen, wie beim Wunder, seine Person für denjenigen enthüllt wird, der einen Sinn dafür hat. Daß die Vorstellung »Eingreifen Gottes« für das Wunder lediglich ein Modell ist und sogar ein recht ungeeignetes, wurde bereits erwähnt. Gottes Handeln in der Welt kann viel besser verstanden werden durch die Reflexion über die Immanenz Gottes in der Welt: Implikation seiner Transzendenz.

c) Verbindung von Wunder und Wissenschaft als Sprachspiele

Man kann also sagen, daß es möglich ist, wissenschaftliche Erklärung und Wunderberichte inhaltlich miteinander in Verbindung zu bringen (wie früher erwähnt wurde); die Frage, die viele beschäftigt, ist aber die, wie sie als Sprachspiele, also auf linguistischem Niveau, miteinander in Verbindung gebracht werden können. Diese Frage wurde bereits im vorigen Kapitel gestreift, wenn auch auf Ethik und Theologie [36] eingeschränkt. Dort wurde nämlich gefragt, wie jemand vom Wort »Das ist meine Pflicht« zur Formulierung »Das ist Gottes Wille« kommen kann. Es handelt sich um Aussagen zweier unterschiedlicher Sprachspiele über dieselbe Situation, ähnlich wie der Durchzug durch das Rote Meer

---

[36] Vgl. S. 28

einmal »Einfluß des Ostwindes« und ein andermal »machtvolles Wunder« genannt wurde. Man sieht also, daß solche Übergänge von einem Sprachspiel zum anderen mit der sprachlichen Interpretation dessen zusammenhängen, was in der Erschließung gesehen wurde. Das ethische Sprechen ist hierfür ein gutes Vorbild. Daß es in einer Erschließung wurzelt, ergibt sich unmittelbar aus dem logischen Unterschied zwischen »Ich verabscheue den Sadismus« und »Ich verabscheue Austern« (das Beispiel stammt von B. Russell). Nur im ersten Fall wird man nämlich die eigentümliche Sprache von »absoluten Werten« und ähnlichem gebrauchen. Mit dieser metaphysischen Redewendung beschreibt man (evokativ) das »mehr« der beobachtbaren Situation auf einem Niveau, das zugleich das umfassendste ist (weil es den Menschen, das Schöne, das Ethische usw. einschließt) und das konkreteste (weil nicht nach Art einer positiv-wissenschaftlichen Untersuchung auf Gesetze geschlossen, sondern weil eine Erschließung artikuliert wird). Wäre das Ethische nun die einzige Erschließungssituation, dann hätte der Terminus »absolute Werte« (oder ein ähnlicher) für uns die tiefste Einsicht in die Welt zum Ausdruck gebracht. Tatsächlich gibt es aber noch andere Erschließungssituationen, und zwar mit eigenem Artikulieren. Das Wunder ist dafür ein klares Beispiel, und sogar die wissenschaftliche Forschung hat sich als dazu fähig erwiesen, wie bei Teilhard de Chardin und Whitehead. Die sprachliche Interpretation von Erschließungen wurde im vorigen Kapitel an den sogenannten Gottesbeweisen gezeigt, insofern diese im »formalen Modus« (Carnap) gelesen werden können, also als Hinweise für die logische Stellung des Wortes »Gott«. Das heißt: Es kann keine Rede sein von »Ursächlichkeit« ohne »Gott«, von »Zweckmäßigkeit« ohne »Gott« usw. Nimmt man nun diese Beweise miteinander, dann entsteht eine Art Sprachenatlas von der Welt, in dem jede Karte die ganze Welt unter einem bestimmten Aspekt darstellt: nicht nach landwirtschaftlichen Produkten, Straßen, Bodenbeschaffenheit oder Industrie, sondern nach universalen Strukturen wie Ursächlichkeit, Zweckmäßigkeit, Vollkommenheitsgrad usw., und zwar immer mit dem Hinweis, daß für dies alles »Gott« vorausgesetzt ist (denn das war der Zielpunkt, als man die Karten aufstellte). Das Ergebnis ist dann, daß »Gott« die kontextuelle Voraussetzung von jedem Sprechen über die Welt ist (denn alles ist in die universalen Strukturen von Ursächlichkeit usf. aufgenommen). »Gott« als Artikulierung von kosmischen Erschließungen bringt für den Gläubigen das Allerletzte, das Endgültigste im Weltall zum Ausdruck, und so kann es die Funktion eines »coordinator word«, eines Schlüsselwortes, in seinem Sprechen über die Welt erfüllen.

Es kommt nun alles darauf an, daß diese Schlüsselposition des Wortes »Gott« keine Verwirrung der verschiedenen Sprachspiele zur Folge hat. Das scheint schon da zu beginnen, wo man Gott mit so verschiedenen Kontexten wie Pflicht, absolute Werte, Existenz der Welt, Ostwind usw. in Verbindung bringt. Aber das Wort »Gott« verhält sich in einer Art und Weise, die derjenigen nicht ganz unähnlich ist, in der sich das Wort »ich« verhält. Das Wort »ich« läßt sich nämlich mit Redeweisen aus allerlei Sprachspielen in Verbindung bringen. Auch darauf wurde, in anderem Zusammenhang, im vorigen Kapitel hingewiesen[37]. Das Wort »ich« vermag dies, weil es zu keinem dieser Sprachspiele gehört, es ist wie ein Lift, der durch alle Niveaus der Beschreibung hindurchführt, ein »coordinator word«, und das Bezeichnete (»referent«) wird erst in einer Erschließung erkannt. Das »ich« kann deswegen auch niemals vollständig artikuliert, beschrieben werden, oder genauer gesagt: Ich kann mich selbst nie ganz beschreiben, integriere aber vielerlei objektive (also eigentlich zu einer anderen Ordnung gehörende) Beschreibungen. Daher konnte Ryle sagen, daß die menschliche Aktivität, obwohl sie nur eine ist, doch mehr als eine »explanatory description« erfordert[38]. Das »ich« ist der subjektive Pol einer jeden Erschließung; (in einer Erschließung finde ich zu mir selbst). »Gott« kann für den Glaubenden der Name für den objektiven Pol sein, wenn es um eine kosmische Erschließung geht. Das Wort »Gott« gehört zu keinem der Sprachspiele, womit wir in der Welt von »Ursächlichkeit«, »Ziel« oder sogar »Sein« sprechen, aber gerade deswegen ist es mit mehreren Sprachspielen vereinbar, und zwar ohne Kategorieverwechslung oder »type-tres-

---

[37] Nämlich auf S. 24, 29 und 39
[38] G. Ryle, The Concept of Mind, London (Hutchinson) 1963 (¹1949), 51

passing« (Ryle) zu verursachen. »Gott« integriert die vielen Sprachspiele als ihre kontextuelle Voraussetzung, gewissermaßen so wie »ich« die kontextuelle (und transzendierende) Voraussetzung von allerlei objektiven Beschreibungen meiner selbst ist. Der Übergang von »Das ist meine Pflicht« zu »Das ist Gottes Wille« beruht also auf der Tatsache, daß es noch andere Erschließung veranlassende Erzählungen gibt als die der Ethik (nämlich die, bei denen – vom Kausalitätsmuster usw. her – Gott auf der objektiven Seite der Erschließung steht), und daß das Wort »Gott« eine über allen Sprachspielen stehende (und mit keinem davon identifizierbare) Rolle erfüllt. Das Schlüsselwort »Gott« hat einen viel umfangreicheren Gebrauch als »Pflicht« *und* schließt es mit ein. So ist »Das ist Gottes Wille« eine alternative (und zwar eine umfassendere) Version von »Das ist meine Pflicht«[39].

Die Ethik hat hier als Beispiel für die Logik des Wortes »Gott« gedient; es kann aber auch in andere Kontexte – wie Biologie und Physik – hineingestellt werden, z. B. aus Anlaß des Wunders. Das ist jederzeit möglich, weil das Wort »Gott« keinem dieser Sprachspiele angehört.

Noch detaillierter kann man sagen, daß das Fragmentarische wissenschaftlicher Sprachspiele nur mit Erschließungsworten überwunden werden kann (wie es die Worte »Masse«, »Evolution« und »Kraft« in der Vergangenheit waren), also mit Schlüsselworten, welche die separaten Karten vereinigen, eben weil sie nicht

[39] Vgl. F 46–54. Es sei darauf aufmerksam gemacht, daß mit der hier gegebenen Analyse nicht jedermanns subjektive Auffassung von der Pflicht sanktioniert wird. »Das ist meine Pflicht« ist erst dann mit Gottes Willen zu verbinden, wenn es tatsächlich meine Pflicht ist, und auch dann noch ist Vorsicht geboten wegen der Tatsache, daß »Gottes Wille« nach der Struktur der menschlichen Person modelliert ist und daß das Artikulieren von irgendeiner Erschließung immer ein riskantes Unterfangen ist. Aus der Nicht-Existenz eines Ichs folgt z. B. die Nicht-Existenz von »Er hat eine hohe Stimme«, und aus der Nicht-Existenz Gottes folgt die Nicht-Existenz der Welt. Aber man kann nicht ohne weiteres sagen, daß aus der Nicht-Existenz Gottes die Nicht-Existenz von Pflichten folgen würde: Sadismus bleibt schlecht auch ohne einen tadelnden Gott. Die Mißachtung dieses Unterschieds hat viele Atheisten von den Gläubigen entfremdet. Aber trotz der Anerkennung einer in diesem Sinne autonomen Ethik muß der Gläubige doch sagen, daß es ohne Gott keine Welt und also keinen Menschen und keine Pflicht geben würde.

exklusiv zu irgendeiner davon gehören, und die so das Bejahen eines Universums ermöglichen. »Gott« ist jedem dieser Schlüsselworte vorausgestellt, und so ist dann auch die Affirmation eines Universums (»which is wonder and worship at what the universe discloses«) *der* Treffpunkt, an dem Wissenschaftler und Theologe, wie übrigens alle anderen, zusammenfinden können (RES 48–53).

Nun aber hat sich um das Wort »Gott« wiederum ein Sprachspiel oder eine Familie von Sprachspielen gebildet, nämlich die Theologie. Unter diesem Gesichtspunkt muß die Behauptung eingeschränkt werden, daß »Gott« mit allen Sprachspielen vereinbar ist, weil dieses Wort zu keinem Sprachspiel gehören würde. »Gott« ist ein integrierendes Wort und kann als zum Sprachspiel der Theologie gehörend betrachtet werden (so wie das integrierende Wort »Seiendes« zur Metaphysik gehört). Dieses Sprachspiel aber hat etwas von dem logischen Verhalten von »Gott« als Integrator, insoweit Theologie ein Versuch zu kohärentem Artikulieren von dem in kosmischen Erschließungen Anvisiertem ist[40]. Daraus folgt nicht nur, daß Theologie ein äußerst riskantes Unternehmen ist (Artikulieren einer Erschließung ist immer mit Gefahr verbunden und ist bestenfalls eine Annäherung, nämlich in Modellen), sondern auch, daß sie (mit den nötigen Einschränkungen) in andere Sprachspiele eindringen kann, ohne sich mit einem davon zu identifizieren. Sobald sie sich damit identifiziert, kann sie ihre integrierende Rolle nicht mehr erfüllen.

Aus diesem Grunde war die Theologie, so wie sie vor allem im 18. und 19. Jahrhundert betrieben wurde, zum Tode verurteilt. Die Theologen spielten sich »wissenschaftlich« auf, verloren also ihre Erschließungsbasis aus den Augen, gaben dadurch Wissen vor, was kein Wissen war, und traten in Konkurrenz mit den positiven Wissenschaften. Wir sahen bereits zu Beginn dieses Kapitels, wie die Apologeten mit den (obendrein verkehrt verstandenen) Geschichtswissenschaften in Konkurrenz lagen. Theologie aber macht keine Konkurrenz! Von ihr gilt, was Ramsey einst

---

[40] In der christlichen Theologie ist Jesus von Nazareth derjenige, in dem die Situation kosmische Tiefe annimmt.

von der Philosophie gesagt hat: Es kann sehr gut sein, daß »evolution créatrice« oder »élan vital« den Aussagen, die man mit diesen Ausdrücken abrunden will, nichts wissenschaftlich Wertvolles hinzufügt. »Es könnte aber wohl sein, daß sie etwas Zusätzliches aussagen, das von einem anderen Gesichtspunkt her benötigt wird« (BI 43).

Von einem gewissen Professor wird erzählt, daß er die Lehre über die Dreifaltigkeit so technisch-formal präsentierte, daß am Ende seiner Darlegungen die Bemerkung notwendig war, es handle sich auch um ein Mysterium. Wenn diese Basis (die Erschließung und damit das Mysterium) nicht von Anfang an feststeht, dann verliert die Theologie jedwede Relevanz. Wenn man ihre logische Stellung, ihre integrierende Rolle vergißt, dann löst sich die Theologie in einem der anderen Sprachspiele auf und verschwindet, ganz gleich ob dieses Sprachspiel nun »Soziologie« heißt (Harvey Cox kann dazu verleiten) oder »the historical and the ethical« (P. van Buren)[41].

---

[41] P. van Buren, The Secular Meaning of the Gospel, Based on an Analysis of its Language, London (S. C. M.) ^{2}1965 (^{1}1963), 197–200 (Deutsche Ausgabe: Reden von Gott in der Sprache der Welt, 1965). Der Grund, warum van Buren die Theologie auf das Historische und Ethische reduziert, ist nicht, daß er verkennt, daß die Theologie evokativ arbeiten muß (auf Erschließungen gegründet ist); man lese dazu nur seine Behandlung des Ostergeschehens, o. c., 126–134. Wenn ich ihn in diesem Zusammenhang dennoch zitiere, so deshalb, weil in seinem Buch sichtbar wird, was von der Theologie übrigbleibt, wenn man – und eben das ist van Burens Stellung – die Erschließungskraft (»disclosure-power«) der gebräuchlichen religiösen und metaphysischen Termini nicht mehr sieht (was dann mit dem Verifikationsprinzip begründet wird, das seinerseits mit dem genau dagegengerichteten Prinzip »meaning is use« [Bedeutung ist Gebrauch] über einen Kamm geschoren wird, o. c., 104). Diese Termen dann abzuschaffen, ist eine der möglichen Lösungen; man könnte aber auch aufzeigen, daß es Erschließungstermen sind. Als glattweg beschreibend verstanden, können sie den modernen Menschen tatsächlich nicht ansprechen. In seinen späteren Theological Explorations (London, S. C. M., 1968) scheint van Buren die zweite Option (zeigen, daß es Erschließungstermen sind) für nicht unvernünftig zu halten, indem er die Gottesfrage und eine suchende Metaphysik als legitim anerkennt, und zwar deswegen, weil sie versuchen, das Gewohnte als außergewöhnlich zu sehen (z. B.: »Warum existiert etwas?«). Diese von der Erschließungstheorie her sehr interessante Suggestion bedeutet für ihn noch nicht, daß das Wort »Gott« eingeführt werden müsse (174), und wenn das schon geschieht, kann es noch sein, daß man nicht weiter damit kommt

In der Lehre über das Wunder kann die Eigenart der Theologie (die Darbietung eines Letztgültigkeit beanspruchenden Horizonts) stark hervortreten und damit gleichzeitig mit dem gewöhnlichen Sprechen und mit den Sprachspielen der wissenschaftlichen Forschung verbunden werden. Denn beim Wunder lassen sich theologische Termini mit »Ostwind« verbinden, mit »Wasser und Wein«, mit »Menschenmengen, die gesättigt werden«, ohne daß die Theologie eine Kryptometeorologie, eine himmlische Physik oder eine höhere Ernährungslehre wird. Wenn der Theologe »Gott« mit »Ostwind« verbindet, versucht er keine mit der Meteorologie konkurrierende Erklärung zu geben.

d) Wunder und »Durchbrechen von Naturgesetzen«

Das Wunder ist nur Wunder für den, der gläubig sieht; weil es zu einem anderen Sprachspiel gehört, kann es letztlich keine mit der Meteorologie oder dergleichen konkurrierende Erklärung sein. Weil das Wunder als »miraculum« von seinem Zeichenwert (der sogar Symbolcharakter hat) nicht getrennt werden darf, ja sogar dem Zeichenwert untergeordnet ist, ist es ausreichend, daß es »auffallend« ist (bereits dann kann eine Erschließung entstehen); es braucht an sich nicht gegen die Natur zu sein.

Würde man, wie es oft genug geschah, die Frage, ob im Wunder Naturgesetze durchbrochen werden, dieser Theologie und Philosophie des Wunders voranstellen, dann wäre wenig Sinnvolles über die Frage zu sagen. Bereits allzu häufig hat man es vergeblich versucht. Auch mit den hier vorgelegten Ansichten wird man nicht alles erklären können, aber durch die richtige Reihenfolge der Probleme ist die Frage weniger brennend geworden; eine

---

als »the metaphorical language of imagination and insight« (180). Ganz deutlich ist seine Position übrigens nicht (er ist der erste, der es zugibt, ib., 13). Grob gesprochen, scheint er Ayers Neopositivismus, Braithwaites starren Empirismus und Flews Pyrrhoneanischen Skeptizismus etwas zu verlassen zugunsten eines weniger strengen Empirismus im Sinne von Wittgenstein II, Wisdom und vor allem W. James. Von Letzterem bewundert er namentlich das »metaphysical risk« (das Offenhalten der Untersuchung gegenüber jedem Dogmatismus) und dessen Motivierung, nämlich daß wir in der Sprache (wie die Erfahrung zeigt) eingeschlossen sind (ib., 6–9 und 158). Van Burens letztes Buch scheint dann auch nüancierter zu sein als »The Secular Meaning«.

gewisse Klärung jedenfalls scheint nun im Bereich des Möglichen zu liegen. Vielleicht wird man sie am besten dadurch erreichen, daß man einige Thesen aufstellt:

THESE I: *Das Durchbrechen von Naturgesetzen ist nicht der biblische Kontext des Wunders.* Schon Fuller hat darauf hingewiesen [42]. In der Bibel ist die Welt ganz in Gottes Hand: Er setzt die Pflanzen und läßt Wasser entspringen, läßt Korn und Wein für die Menschen gedeihen und Mond und Sonne für alle scheinen. Was in der Natur geschieht, ist Gottes Hände Werk. Geht es um Kraftbeweise, dann sind das nicht die Wunder, sondern Gewitterschauer und Stürme. Die Welt ist nicht autonom, sie ist kein System von Gesetzen. Ein Wunder ist lediglich ein solcher Verlauf der Geschehnisse, daß die Auserwählten Rettung finden und darin Gottes Hand erblicken; aber auch außerhalb des Wunders ist es Jahwe, der für alles sorgt.

Man kann sich aber fragen, ob die Theologie im biblischen Denkmuster steckenbleiben muß. Vor allem in der Perspektive der Hermeneutik wird man geneigt sein können, die Botschaft der Hl. Schrift in zeitgemäßen Ausdrücken neu zu durchdenken. Und das könnte für das Wunder vielleicht bedeuten, daß man von »Durchbrechen von Naturgesetzen« sprechen muß. Aber auch das geht nicht:

THESE II: *Es ist grundsätzlich falsch, das Wunder als »Durchbrechen von Naturgesetzen« zu beschreiben.* Für diese These gibt es mehrere Gründe. So wurde *zum ersten* bereits darauf hingewiesen, daß die Sprechweisen »Ein Tief verursachte Ostwind« und »Gott ließ einen Ostwind aufkommen« logisch verschieden sind. Wenn »Wunder« zur Theologie oder zum Glauben gehört, und »Naturgesetze« eine Artikulierung innerhalb der Familie positivwissenschaftlicher Sprachspiele ist, dann muß man aus sprachlichen Gründen sagen, daß ein Gegensatz zwischen Wunder und Naturgesetzen ausgeschlossen ist. Das gleiche Argument impliziert aber auch, daß ein Wunder nicht in *Übereinstimmung mit* den Naturgesetzen zu geschehen braucht, so daß wir noch nicht viel weiter sind. Sprachlich richtig aber bleibt, was Hubbeling in seiner Buchbesprechung von »Glaube und Naturwissenschaft« be-

---

[42] *Fuller, 8–9*

hauptet hat, daß ein Konflikt zwischen Naturwissenschaft (als »first-order science« mit beschränkten Erklärungsansprüchen) und Theologie nicht möglich ist. Viel eher könnte ein Konflikt zwischen Philosophie und Theologie möglich sein, insofern beide (mit der nötigen Reserve) als »second-order sciences« beschrieben werden können, als Konkurrenten im Darbieten von letztgültigen Erklärungen [43].

Weiterhin ist diese Sprechweise bedenklich wegen der Gottesidee, die dahinter stecken *kann*, insofern nämlich, als »Durchbrechen von Naturgesetzen« bedeuten *kann*, daß Gott sich nach der Erschaffung nicht mehr mit der Welt abgibt, es sei denn für den einen oder anderen spektakulären Besuch, während sonst die Welt völlig autonom, mit eigenen Gesetzen, existiert [44]. Gott ist aber (und dies gerade als transzendentes Wesen) immanent in der Welt. Was dies in Wirklichkeit bedeutet, wissen wir nicht; wohl aber haben wir im Glauben einen Rahmen, der so umrissen ist, daß die Aussage »Gottes einzige Beschäftigung mit der Welt ist ein zwischenfälliger, spektakulärer Besuch« nicht zutrifft, wie unbestimmt auch jedes positive Artikulieren des Glaubens bleiben mag.

Die Situation bleibt aber zweideutig. Wenn das Wunder als »Durchbrechen von Naturgesetzen« verstanden wird, dann hat es immer auch etwas von einem Zwischenfall. Bezieht man dieses Zwischenfällige auf das Durchbrechen von Naturgesetzen, so kann man dennoch Gottes Immanenz erkennen, also erkennen, daß Gott andauernd in der Welt am Werke ist. Bezieht man aber dieses Zwischenfällige ausschließlich auf das Handeln Gottes mit der Welt, schränkt man also die Beschäftigung Gottes mit der Welt auf das Durchbrechen von Naturgesetzen ein, dann berücksichtigt man zu wenig seine Immanenz. Diese letzte Interpretation ist deistisch und macht zugleich aus Gott ein »agens« neben anderen »agentia«. Die erste Interpretation war die von vielen Christen, die von Wundern als »Durchbrechen von Naturgesetzen« sprachen. Die Gottesidee, die dahintersteckt, braucht nicht per se verkehrt zu sein, sie *kann* aber ein Anlaß dafür sein, die

<hr />

[43] *H. G. Hubbeling*, Geloof en Natuurwetenschap, Kerk en Theologie 19 (1968), 165–177
[44] Auf diesen Aspekt hat Ramsey einmal in seinen Vorlesungen hingewiesen.

Natur so zu sehen, als ginge sie gewöhnlich ihren eigenen Gang, ohne Gott. Theologie wird dann wieder eine konkurrierende Erklärung und Gott ein Faktor neben anderen Faktoren. So kann man durch bestimmte Theorien über das Wunder eine ärgerniserregende Auffassung über Gott haben. Es geht immer darum, daß Gottes Transzendenz eine immerwährende Immanenz beinhaltet. Interpretiert man diese Transzendenz als ein zwischenfälliges Eingreifen, dann geht die Immanenz verloren. Beides (sofern man von »beides« sprechen kann), nämlich Gottes allgemeines Verwickeltsein in die Welt und die Intensivierung davon im Wunder (bei dem der Mensch durch das Persönliche am Handeln Gottes getroffen wird, das immer ein und dasselbe ist), ist sowohl immanent als auch transzendent.

Im Zusammenhang mit dieser Verbindung von Wunderinterpretation und Gottesidee ist es nicht uninteressant zu beobachten, wie diejenigen, welche die Autonomie der Welt betonen, Gottes immerwährendes Beschäftigtsein mit der Welt, seine erhaltende Aktivität, oft verkennen und zugleich vom Wunder als einem »Durchbrechen von Naturgesetzen« reden (das Umgekehrte ist nicht immer wahr) und deshalb die Möglichkeit von Wundern leugnen. Das war früher bei Hume der Fall und ist es heute bei A. Flew. Umgekehrt muß man feststellen, daß diejenigen, die auf das immerwährende Beschäftigtsein Gottes mit der Welt den Nachdruck legen, im Wunder gar kein Durchbrechen von Gesetzen sehen, sondern – auch wenn sie etwas Besonderes darin sehen – die natürliche Konsequenz der Präsenz Gottes in der Welt. So kommt es, daß Berkeley, der die Immanenz Gottes betont, in seiner Lehre über das Wunder in direktem Gegensatz zu Hume steht und daß van Melsen z. B. sagen kann, daß die gesamte Natur mit dem Menschen als ihrem Beherrscher und Vollender zu einem einzigen großen Wunder wird [45]. Es lohnt sich, in diesem Zusammenhang (und auch als Illustration der Erschließungstheorie) einige Texte aus Schleiermachers »Reden über die Religion« anzuführen. »Alle Begebenheiten in der Welt als Handlungen

---

[45] *A. G. van Melsen*, De Kerk in een nieuwe wereld. Overpeinzingen van een natuurfilosoof, Bilthoven/Antwerpen (Patmos) 1966, 41. Van Melsen spricht in diesem Buch immer von der Transzendenz Gottes, aber gerade insofern sie seine Immanenz einschließt.

eines Gottes vorstellen, das ist Religion«[46]. »Schaut außer Euch auf irgendeinen Teil, auf irgendein Element der Welt und faßt es auf in seinem ganzen Wesen..., das Endliche werdet Ihr bald verlieren und das Universum gefunden haben«[47]. Jetzt kann man seine Aussagen über das Wunder in seiner zweiten Rede verstehen. Schleiermacher beginnt mit der Feststellung[48], daß das Religiöse das Physische und Psychologische unangetastet läßt, weil man sonst alle Gesichtspunkte durcheinander wirft (»type-trespassing«, Sprachspielverwechslung). Das Wunder – so fährt er fort – steht im Kontext einer »unmittelbaren Beziehung einer Erscheinung aufs Unendliche, aufs Universum« (die Symbolerfahrung der kosmischen Erschließung). Und hierauf folgt dann seine bekannte Aussage (in einem für ihn typischen Stil): »Wunder ist nur der religiöse Name für Begebenheit, jede, auch die allernatürlichste, sobald sie sich dazu eignet, daß die religiöse Ansicht von ihr die herrschende sein kann, ist ein Wunder. Mir ist alles Wunder.« Die gleiche Auffassung findet man auch heute noch, unter anderem bei gewissen deutschen protestantischen Theologen, die das Handeln Gottes und das Wunder als dasselbe ansehen: Weber, Cremer, Ruprecht, Hunzinger (»Dieser theistische und christliche Gottesbegriff, der die ganze Welt zu einer fortdauernden Schöpfung Gottes und damit zu einem absoluten Wunder macht, bildet die unerschütterliche Grundlage der Religion«) und Stange (»... daß der biblische Wunderbegriff sich nicht bloß auf einzelne singuläre Ereignisse bezieht, sondern für das gesamte göttliche Wirken charakteristisch ist«)[49].

Drittens sind »durchbrochene Naturgesetze« auch noch eine Pseudo-Kategorie. Schon wegen der Eigenart der Naturgesetze kann von einem »Durchbrechen« keine Rede sein, dafür sind sie nicht solide genug. So sagt Popper (der an den Abendveranstaltungen des Wiener Kreises nicht teilnahm, in Wien aber doch mit Carnap, Feigl und Kraft in persönlichem Kontakt stand), daß »wir

---

[46] F. *Schleiermacher*, Über die Religion. Reden an die Gebildeten unter ihren Verächtern, Göttingen (Vandenhoeck) 1906, 37; Originalausgabe (1799): 57–58
[47] Ebd., 103; Originalausgabe: 166
[48] Ebd., 74; Originalausgabe: 117
[49] Verfasser und Zitate in *Forell*, 148–149

von keiner nicht-logischen Aussage herausfinden können, ob sie in Wirklichkeit naturnotwendig ist«[50] (eine Einstellung, die im Neopositivismus allgemein festzustellen ist). Das gilt sicher von Naturgesetzen, denn »Naturgesetze lassen sich logisch nicht auf elementare Erfahrungssätze zurückführen«[51] und »die Frage, ob es Naturgesetze gibt, die wahr sind, ist nur eine andere Form der Frage, ob induktive Folgerungen gerechtfertigt sind«[52] (und die Antwort darauf ist negativ). Die Schlußfolgerung von Poppers Buch lautet dann auch, daß »es nicht sein *Besitz* an Kenntnis, an unwiderlegbarer Wahrheit ist, der den Wissenschaftler ausmacht, sondern sein beharrliches und absolut kritisches *Suchen* nach Wahrheit ... Wissenschaft verfolgt niemals den illusorischen Zweck, endgültige ... Antworten zu geben«[53].

Aus einem ähnlichen Bewußtsein wird auch Ramsey sagen, daß wissenschaftliche Gesetze laufend durchbrochen und ebenso leicht wieder repariert werden (RL 167). Das geschieht, wenn neue Fakten nicht in ein gegebenes Gesetz hineinpassen; man formuliert das Gesetz dann neu, bis die widerspenstigen Fakten wieder hineinpassen. Die Fakten gleichen Mäusen, die von einer Katze aufgefressen werden: Sie haben die Genugtuung, daß die Katze nach der Verdauung nicht mehr dieselbe ist; aber die Katze ist auch zufrieden, sie ist noch Katze geblieben, und die Mäuse sind (wie der Philosoph sich ausdrücken würde) »transcended in a larger uniformity« (MI 5). Der wissenschaftliche Forscher muß immer wieder versuchen, die Fakten unter einer (stets größer werdenden) Uniformität und Gesetzmäßigkeit unterzubringen. Niemals darf er schlußfolgern, daß es keine Wunder gibt. Er muß sie allerdings von Anfang an methodisch ausschließen[54]. Täte er das nicht, dann würde er ebenso schwer gegen sein Berufsethos verstoßen wie ein Fußballspieler, der aus Sympathie zur Gegnermannschaft den Ball ins eigene Tor hineinschießt. »Wunder« ist in der Wörterliste der positiven Wissenschaften nicht beheimatet, und außer-

---

[50] K. *Popper*, The Logic of Scientific Discovery, London (Hutchinson) 1959, 433
[51] Ebd., 36
[52] Ebd., 28
[53] Ebd., 281
[54] Vgl. neben MI 8 auch *Nowell-Smith*, 245

gewöhnliche Tatsachen sind keine Durchbrechungen von Naturgesetzen. Kommen sie öfters vor, dann sind sie lediglich Anlaß zur Erweiterung und Neuformulierung von bestehenden Gesetzen (falls ihre Außergewöhnlichkeit nicht auf andere Weise erklärt werden kann, z. B. eine wunderbare Heilung durch Hypnose). Kommen sie selten vor, dann sind sie zu vernachlässigen. Als das Gesetz der Gase bei sehr kleinen Volumina nicht mehr zu stimmen schien, sagte man nicht: »Ein Wunder« oder: »Das Gesetz der Gase ist durchbrochen«; es genügte, das Gesetz neu zu formulieren (RL 168; gemeint ist J. D. van der Waals, niederländischer Nobelpreisträger von 1910). Solches kann sogar unter dem Einfluß einer Theorie geschehen, wie beim dritten Keplerschen Gesetz, als Newtons Theorie Pate stehen mußte. Ob wissenschaftliche Gesetze durchbrochen werden, ist also eine Pseudo-Frage (MI 8), dafür sind sie zu unstabil und zu wenig feststehend; sie sind lediglich induktive Verallgemeinerungen (ib. 4) oder »mehr oder weniger versuchsweise formulierte Verfahrensrichtlinien« (ib. 8), man kann sagen: mehr oder weniger geglückte (und also flexible) Verallgemeinerungsversuche. Man darf deshalb das Wunder nicht auf durchbrochene Gesetze stützen wollen.

Dennoch müssen hier noch einige Bemerkungen gemacht werden. Da ist *zunächst* die Tatsache, daß Ramsey die Gesetze sowohl »Verallgemeinerungen« als auch »Richtlinien« nennt; das weist darauf hin, daß der logische Status der Gesetze nicht so deutlich ist. »Naturgesetze« wird tatsächlich in sehr verschiedenen Bedeutungen verwendet. Nach Locke (heute Kneale) sind sie Sätze, die notwendige Verbindungen formulieren (»principles of natural necessitation«), und vergleichbar mit dem Satz: »Nichts kann gleichzeitig ganz rot und ganz grün sein« (ausgenommen daß man das letzte »sieht« und das erste nicht). Nach Hume (in unserem Jahrhundert E. Mach) formulieren sie jedoch keine logische Notwendigkeit, sondern nur, daß gewisse Merkmale konstant miteinander verbunden zu sein scheinen (hierfür könnte man Popper anführen). M. Schlick und F. P. Ramsey sehen die Naturgesetze als Regeln, um Aussagen zu formulieren und handeln zu können; sie sind denn auch weder wahr noch falsch (wohl aber richtig oder unrichtig). I. T. Ramsey nimmt anscheinend sowohl die zweite als auch die dritte Interpretation an. Diese Verschiedenheiten

kann man erklären. So richtet Locke seine Aufmerksamkeit vor
allem auf die Schlußfolgerungen aus den Naturgesetzen. Dazu
geben die Physiker wohl selbst Anlaß durch ihre Kurzsprache,
z. B. wenn sie sagen: Hat eine Mauer die Höhe h und beträgt der
Höhenwinkel der Sonne g Grad, so *muß* der Schatten der Mauer
soundso breit sein. Der Logiker würde sagen: Hat usw.,, dann
ergibt eine richtige Anwendung der optischen Erkenntnisse, die
sich unter den gegebenen Bedingungen als zuverlässig *erwiesen*
haben, *notwendigerweise* als Schlußfolgerung, daß der Schatten
soundso breit ist. Die Notwendigkeit ist also (vereinfachend gesagt) nur eine hypothetische, und das Wunder könnte (theore-
tisch!) gerade diese Hypothese verfälschen. Hume richtete seine
Aufmerksamkeit mehr auf die Erfahrung, die den Gesetzen zugrunde liegt und die sie nicht übersteigen können. Deshalb
brauchte er das Wunder auch nicht zu leugnen; das Wunder kann
teilweise (nämlich nicht als »signum«) als »just a fact« gesehen
werden. (In Wirklichkeit ist für das Vorkommen eines solchen
Faktums ein so zwingender Beweis erforderlich, daß Zeugnisse
dafür schwerlich ausreichen würden[55].) Der springende Punkt ist
dann, daß nicht die Gesetze, sondern die Tatsachen normierend
sind. Man kann nicht sagen, daß die Landschaft nicht stimmt,
weil die Karte sie anders darstellt[56]. Der Vorteil bei der Auffassung von Schlick besteht darin, daß er von der richtigen Frage-
stellung ausgeht, also nicht davon, ob die Gesetze jederzeit und
überall wahr sind, sondern ob sie jederzeit und überall anwendbar sind. Die Antwort lautet dann nicht: »Ja, großartig, nicht
wahr?«, sondern: »Sie sind so formuliert, daß sie universell anwendbar sind.« »Wahr« oder »nicht wahr« bezieht sich auf die
Aussagen, die das Gesetz anwenden, nicht auf das Gesetz selbst;
darauf konzentriert Schlick seine Aufmerksamkeit. Das Gesetz
selbst ist eher eine Art Funktion oder ein Schema, keine Prämisse,
aus der man argumentiert, sondern Folgerungsprinzip, nach dem

---

[55] Dies um so mehr, wenn man die Struktur der positiven Wissenschaften in
Betracht zieht: Die Grundaussagen sind so fundiert und im Ganzen so zu-
treffend, daß man sie nicht auf eine Ebene stellen darf mit den Hypothesen
am Gipfelpunkt des Systems, das heißt dort, wo die Forschung noch im Gange
ist.
[56] *A. Flew*, 349

man argumentiert[57]. Die Frage, ob das Wunder Naturgesetze in diesem Sinne durchbrechen kann, ist etwa gleich der Frage, ob es draußen wärmer ist als heute.

Es dient aber kaum der Sache des Wunders, herauszufinden, welche Auffassung des Naturgesetzes die richtige ist, und dann zu beweisen, daß es zwischen dem Wunder und dem so verstandenen Naturgesetz keinen Konflikt gibt. Es gibt etwas Fundamentaleres, das ich »die Sicht des wissenschaftlichen Forschers« genannt habe, das heißt die Erwartung der Regelmäßigkeit.

Daher meine *zweite* Anmerkung: Auch wenn man bewiesen hätte, daß das Durchbrechen von Naturgesetzen ein leerer Begriff ist, kann doch die wissenschaftliche Haltung, nach der man Regelmäßigkeit, Stabilität, Uniformität erwartet, dem Glauben an Wunder im Wege stehen[58]. Wasser wird nicht zu Wein, ganz gleich wie die Naturgesetze verstanden werden; man muß als Wissenschaftler mißtrauisch sein gegenüber so etwas Ungewohntem wie dem Geschehen in Kana. Der Glaube an Wunder bleibt ein Odium. Anders formuliert: Es mag schon wahr sein, daß »Gott ließ einen Ostwind aufkommen« logisch verschieden ist von und also nicht im Gegensatz steht zu »Ein Tief verursachte den Ostwind«; was aber soll man davon halten, wenn das Tief so gelagert war, daß ein Westwind hätte entstehen müssen? Oder kann dieser Fall nicht eintreten? Diese sehr reelle Frage scheint all das Vorhergehende irrelevant zu machen, entlarvt es als ein Stückchen theologischer Politik, um das wahre Problem zu umsegeln. So wie jemand mir einmal sagte: Wenn das Wunder nicht gegen die Natur geschieht, dann ist es überhaupt kein Problem. Hätte also all das vorher Gesagte ebensogut ungesagt bleiben können?

Meine *Stellungnahme* dazu: Es ist sicher nicht richtig, das Gegen-die-Natur-Gehen als das einzige Problem des Wunders zu sehen.

---

[57] Vgl. für diese Auffassungen (obwohl anders formuliert) S. *Toulmin,* The Philosophy of Science, An Introduction, London (Hutchinson, Grey Arrow Books) 1962 ([1]1953), 57–104, vor allem 90–104. Verwandt mit der Auffassung Schlicks ist die von *Holland,* 161, nach der Naturgesetze angeben, was möglich ist; sie sind eine Art Bezugsrahmen, durch den wir die Welt betrachten und der unsere Art der Beschreibung der Phänomene bestimmt.

[58] Miracles, 40 *(M. Hesse)*

Diese Frage steht außerhalb des eigentlichen religiösen Kerns, während das Wunder doch gerade ein Geschehen ist, das seinen Sinn aus dem religiösen Kontext erhält. Ein Artikel über das Wunder muß primär den eigentlich religiösen Kern herausarbeiten. Das ist kein Stückchen politischer Schläue, sondern ein Respektieren der richtigen Reihenfolge der Fragestellungen. Der religiöse Kern ist wirklich ein Problem: seiner Artikulierung nach (ein »Freier-Wille«-Anspruch in bezug auf das Universum), seinen Implikationen nach (das Verhältnis zwischen Gottes Immanenz und Transzendenz z. B.) und seiner Effizienz nach (kann das Wunder in unserer Gesellschaft noch funktionieren? Vgl. Paragraph 3). Erst wenn diese Problematik einigermaßen behandelt ist, kann man zur Teilfrage übergehen, ob man als Glaubender annehmen muß oder darf, daß etwas, was natürlicherweise als unerklärbar angesehen werden muß, prinzipiell doch möglich ist und ob es stattgefunden hat oder noch stattfinden kann.

Eine erste Bemerkung wäre dann, daß die Annahme von Wundern keineswegs die Annahme von natürlich unerklärbaren Tatsachen beinhalten muß, weil man (mit einer Variante der Terminologie von R. Holland) unterscheiden muß zwischen Wunder der Übereinstimmung (mit den Naturgesetzen; »miracles of coincidence«: in dichtem Nebel stoppt ein Zug unmittelbar vor einem spielenden Kind) und Wunder der Überwältigung (»miracles of violation«, wofür das Weinwunder in Kana ein Beispiel sein könnte). Mir scheint, daß man die erste Art (bei denen nichts gegen die Naturgesetze geschieht) zu Unrecht »Wunder in weiterem Sinne« genannt hat. Diese Benennung scheint sich abzuleiten von einer ganz bestimmten Art von Apologetik und keine Stütze in der Schrift zu finden. Meint man dennoch auch »miracles of violation« annehmen zu müssen (auch wenn man damit keine apologetischen Beweise auf der Linie einer Art »übernatürlicher Physik« führen will), muß man sich doch davor hüten, »Natur« und »Gott« als selbständige Größen einander gegenüberzustellen, wie das bei einem hellenischen Naturbegriff zutreffen könnte. Beim Gebet ist das etwas deutlicher. Kam die unerwartete Genesung als Erhörung oder aufgrund der psychologischen Wirkung des Vertrauens, das der Kranke in das Gebet hatte? Die Antwort ist, daß die Frage: Gott oder eine psychologische Wirkung? nichts taugt. Man führt dann eine Dichotomie ein, die nicht zu rechtfertigen ist, weil Gott auf transzendente Weise in der Welt immanent ist. Auf das Wunder angewandt bedeutet dies, daß die Frage, ob die Natur ihren Gang eingehalten hat oder ob Gott dabei am Werk war, nicht richtig ist. Hieraus folgt dann die andere Frage, ob durch die Immanenz Gottes die Natur nicht so flexibel ist, daß das wissenschaftliche Muster, wonach Regelmäßigkeit erwartet wird, jeder Grundlage verlustig geht. Wenn man der Immanenz Gottes, von der man nicht weiß, was sie beinhaltet (»Gottes Wege sind unerforschlich«), den natürlichen Gang der Dinge aufpfropft, dann scheint man der Unvorhersagbarkeit und dem Mysterium ausgeliefert zu sein.

Ich kann dazu nur sagen, daß dies nicht der Fall ist. Es gibt Wissenschaft, und sie hat Erfolg. Es gibt ein Muster von Regelmäßigkeit. Aber gibt es darin keine Ausnahmen, etwa Wasser, das zu Wein wird? Hierauf kann nur dann positiv geantwortet werden, wenn genügend Beweismaterial für solche Tatsachen vorliegt, und das ist z. B. nicht schon der Fall durch das Vorhandensein eines solchen Berichtes in der Hl. Schrift; dafür braucht man lediglich etwas von antiker und religiöser Geschichtsschreibung zu wissen. Man kann die Frage jedoch auf der prinzipiellen Ebene bestehen lassen: Ist es möglich, daß ein Geschehen wie das von Kana stattfindet? Mir scheint, daß hierauf keine Apriori-Antwort gegeben werden kann, weil wir nicht wissen, was Gottes transzendente Immanenz in der Welt ist[59]. Dürfen wir also die Möglichkeit offen lassen, daß etwas geschehen kann, was vom natürlichen Standpunkt aus gesehen unerklärbar ist? Selbst das, so scheint mir, wissen wir nicht. Es gibt die Meinung: Wenn man die Inkarnation einmal angenommen hat, wolle man keine Grenze mehr ziehen zwischen dem, was wohl und was nicht möglich ist[60]. Doch ist, im Blick auf neuere Entwicklungen in der Christologie, ein Vorbehalt vonnöten, um auf dieser Grundlage eine affirmative Antwort zu unserer Frage zu formulieren. Die Abneigung, eine Grenze zwischen dem Möglichen und dem Unmöglichen zu zie-

---

[59] Auch *Halbfas* meint (vgl. Anm. 8), 206–207, daß eine Lösung bezüglich des Wunders nur durch einen neuen Begriff der Transzendenz und Immanenz Gottes möglich ist.

[60] *Richardson* II, 130

hen, würde ich dann lieber auf die Tatsache gründen, daß wir nicht wissen können, was die Transzendenz Gottes für seine Immanenz in der Welt impliziert.

Ist es möglich, daß etwas gegen die Natur geschieht? Darauf gibt es mit Sicherheit keine Antwort von der Natur der Dinge her (denn angeblich wird gerade sie überholt), vielleicht aber vom Immanent-Sein Gottes in der Welt her. Diese Immanenz aber kennt der Mensch zu wenig, denn es geht um das Artikulieren einer Erschließung, und dann landet man schon bald in unerlaubten Ausweitungen eines Modells. Deswegen kann die Möglichkeit des Gegen-die-Natur-Geschehens nur aus der Tatsächlichkeit abgeleitet werden: »ab esse ad posse valet illatio«. Diese Tatsächlichkeit festzustellen ist nicht die Aufgabe des Philosophen, vielleicht aber wohl eines Magisteriums in Verbindung mit Theologen und Historikern, und ich habe den Eindruck, daß in diesen Kreisen augenblicklich keine Einstimmigkeit herrscht[61]. Es ist übrigens eine Frage, ob jemals Zeugnisse aus der Vergangenheit soviel Autorität haben *können,* daß man die Annahme darauf gründen kann, daß die natürliche Ordnung »durchbrochen« wurde, und ob unsere Frage, *die den religiösen Punkt des Wunders nicht berührt,* in den Kompetenzbereich des Magisteriums gehört (es sei denn als Erhellung der immanenten Transzendenz Gottes). Fest steht, daß, wer die Objektivität des Wunders auf »durchbrochene Gesetze« baut, auf eine sehr schwache Basis baut. Für mich jedenfalls wäre nichts verloren, wenn es sich zeigen würde, daß Wunder niemals gegen die Natur verstoßen haben. In diesem Zusammenhang sei noch auf parapsychologische Parallelfälle von Nahrungszuführung, Levitation und Heilungen hingewiesen[62].

---

[61] Man lese dazu nur den letzten Artikel von Het Wonder (also Kap. 5).
[62] Diesbezügliche Literatur: *E. Bozzano,* Übersinnliche Erscheinungen bei Naturvölkern, Bern (Francke, Sammlung Dalp 52) 1948; *A. v. Schrenk-Notzing,* Grundfragen der Parapsychologie, Stuttgart (Kohlhammer) 1962; *H. Thurston S. J.,* Die körperlichen Begleiterscheinungen der Mystik, Luzern (Räber) 1956

Schon zu Beginn dieses Kapitels hatten wir angenommen, daß das Wunder in unserer Zeit nur noch schwache religiöse Aussagekraft hat. Zu viel merkwürdige Assoziationen waren damit verbunden, wie z. B. die eines von außen eingreifenden Gottes und die einer Ausführung von Kraftakten. Das alles hätte nicht so zu sein brauchen – das ist nun, so hoffe ich, klar geworden –, es ändert aber nichts daran, daß man sich heutzutage wenig durch das Wunder angesprochen fühlt. Wenn heute trotzdem viel über Wunder geschrieben und debattiert wird, so vor allem deswegen, um herauszufinden, wie sie in der Vergangenheit funktionierten. (Was erlebten dabei zum Beispiel die Israeliten und viele Christen?) Ist dies einmal in einer für unsere Zeit verständlichen Sprache beschrieben, dann kann die Perspektive vom (sehr wichtigen!) Historischen zum Thematischen verbreitert werden, wie das, was wertvoll ist im Erlebnis des Wunders, auch uns auf zeitgemäße Weise inspirieren kann.

Das Wunder war eine zwischenfällige Erschließungssituation, in der der Glaubende die Nähe Gottes in der Welt erfuhr. Diese Erschließungen kamen zustande durch das Durchbrechen eines gewohnten Gangs der Dinge oder (später) einer Monotonie: Die Situation erregte die Aufmerksamkeit durch etwas Ungewohntes, z. B. dadurch, daß sie auf einmal zu einer Rettungssituation wurde. Die Situation war eine Symbolsituation. Nun scheint mir, daß dem, was der Glaubende in der Erschließung »gesehen hat«, wesentliche Bedeutung zukommt. Es war für ihn die Nähe Gottes, seine persönliche Gegenwart, seine transzendente Immanenz in der Welt. Leugnet man diese Immanenz, dann folgt daraus unter anderem ein »qualified theism«. Das Problem läßt sich dann mit der Frage präzisieren: Welche andere Techniken als das Durchbrechen des Gewohnten können zu dieser Erschließung führen? Welche Symbolsituationen »leisten« das heutzutage, das heißt, welche Situationen sind (angesichts der Verschiebung des Symbolempfindens) heutzutage geeignet, den Menschen etwas von der Gegenwart Gottes verspüren zu lassen, die – wie schon bei Leslie Dewart angeführt – heute mehr gesucht wird als Gottes Dasein »an sich«? Es geht nicht so sehr um das, was Gott tut, es geht darum, daß Er da ist und daß der Mensch ihn in seiner Nähe weiß. Und sollten für diese Erschließungen neue Techniken notwendig sein, festgehalten werden muß, daß das Wunder eine wichtige Funktion als Weg erfüllt hat, über den die Menschheit auf die Idee vom Nahe-Sein Gottes gekommen ist. Es geht also um eine Modifikation innerhalb dieser Gegebenheit. Wie angekündigt, kann ich hier nicht mehr als einen Wink geben.

In den Gesprächen des »Nederlands Gesprek Centrum« wurde festgestellt, daß das Symbol wieder zu Ehren gekommen ist[63]. Der Mythos wird z. B. nicht mehr abgetan als eine unwesentliche Erzählung, sondern wieder als Wahrheit im Gewand einer mit der Wahrheit verwobenen Sprache erfahren. Es scheint sich dabei eine Entwicklung im Gespür für Symbole zu vollziehen, die van Melsen sehr treffend mit »Universalisierung des Symbols« bezeichnet hat[64]. Das Universum kann für den glaubenden Menschen noch immer Tiefe annehmen, es kann eine Erschließungssituation sein, aber das geschieht nicht mehr so leicht in der Form eines Überwältigtseins durch zwischenfällige, auffallende Geschehnisse. Viel von dem, was dem Menschen von früher als Zwischenfall imponierte, ist in das Erklärungsmuster des wissenschaftlichen Denkens aufgenommen. Das hat jedoch keinen Verlust an Symbolwert nach sich gezogen, sondern hat eher bewirkt, daß man ihn genauer erfaßt. Es entwickeln sich zeitgemäßere Erschließungstechniken.

Van Melsen hat zwei von diesen Techniken aufgezeigt, und es soll hier genügen, diese kurz zu skizzieren. Es wäre wünschenswert, daß ein Buch über die transzendente Immanenz Gottes geschrieben würde, in dem mit großer Sorgfalt untersucht werden müßte, über welche Wege man zu dieser Immanenz kommt. Hier kann nicht mehr als ein Fingerzeig gegeben werden.

Die erste Technik beruht, kurz gesagt, auf der Tatsache, daß der Mensch, dank seiner sich entwickelnden Technologie, zu immer mehr in der Lage ist, sich aber gleichzeitig mehr und mehr seines Geschöpf-Seins bewußt wird, weil *eine* fundamentale Begrenzung immer deutlicher wird: daß der Mensch an das Vorhandene

---

[63] Het Wonder, 12
[64] *A. G. van Melsen,* De Kerk in een nieuwe wereld (vgl. Anm. 45), 42

gebunden ist[65]. Der Mensch vermag immer mehr, und viele »nebensächliche« Abhängigkeiten werden überwunden. In dem Maße jedoch, in dem das geschieht, kann sich die wesentliche Abhängigkeit des Menschen deutlicher abzeichnen. Der Mensch ist angewiesen auf das Vorhandensein von etwas, er ist selbst kein allerletzter Ursprung. So kann die (überall gegenwärtige) beobachtbare Situation zum Symbol von mehr als dem Beobachtbaren werden: das dauernde Angebotensein des Vorhandenen an den Menschen. Das Vorhandene *ist* nicht ohne weiteres da: es ist Gabe und Aufgabe. Gott *kann* dann anwesend sein, nicht als »zwischenfällig eingreifend« (was übrigens nicht das Merkmal eines Wunders zu sein braucht, dieses besteht vielmehr in einem zwischenfälligen Sichbewußtwerden der Anwesenheit Gottes), sondern als Grund der menschlichen Leistungen.

Universalisierung des Symbols zeigt sich auch in einer zweiten Erschließungstechnik, über die man zur Anwesenheit Gottes kommen kann, und zwar in der modernen Ausübung der Caritas[66]. In der christlichen Kultur (im Gegensatz z. B. zur japanischen) ist der Mensch in Not von jeher ein Anruf an die anderen, eine Situation, die (ethische) Tiefe annimmt und in der man, in Konfrontation mit diesem Anruf, zu sich selbst kommen kann. Wenn schon in einer ethischen Situation das Religiöse für den Glaubenden nie weit weg liegt (vgl. den Übergang vom Wort »Das ist meine Pflicht« zur Aussage »Das ist der Wille Gottes«), so ist in der jüdisch-christlichen Tradition das Religiöse in höchstem Maße anwesend, wo der Nächste in Not ist. »Was ihr dem Geringsten meiner Brüder getan habt, das habt ihr mir getan«, sagt Christus in der Hl. Schrift; und von seiner jüdischen Herkunft her konnte Levinas sagen: »Le visage d'autrui, c'est l'épiphanie du Seigneur.« Stand die Caritas früher gewissermaßen außerhalb des normalen Lebens als eine Art Randerscheinung, so ist sie heute zu einem Beruf geworden und in das Berufsleben einbezogen. Man denke an Ärzte, Krankenpfleger, Psychiater (ist die Gesprächstechnik nicht sehr stark auf den Menschen ausgerichtet, der zu sich selber finden muß?), Sozialarbeiter usw. Durch diese »Verberuflichung« kann

---

[65] Ebd., 38–39
[66] Vgl. ebd., 42–45

das Symbol an Unmittelbarkeit verlieren. (Die Labor-Assistentin wird sich weniger leicht bewußt werden, daß sie dem Nächsten hilft.) Auch kann diese Universalisierung am Menschen in seiner konkreten Not und ihrem Symbolwert vorbeigehen. Dieselbe »Verberuflichung« aber bedeutet, daß der Mensch sich mit seiner vollen Schaffenskraft für eine Aufgabe einsetzt, die man als die Selbstwerdung der Menschheit umschreiben kann. An den Nöten, die immer genauer registriert werden (z. B. auch die psychischen Nöte), erkennt man, daß der Mensch noch nicht ist, was er sein zu müssen glaubt, und zugleich ist man sich bewußt, daß es die Aufgabe des Menschen selbst ist, diese Unvollkommenheit in die Hand zu nehmen. Dies kann nun zu einer kosmischen Erschließung führen (eine Garantie gibt es hier ebensowenig wie bei der vorigen oder irgendeiner anderen Technik), nämlich daß das, was man tut (und dieses Tun steht jetzt mitten im Leben), darauf hinausläuft, die Schöpfung zu ihrer Vollendung zu führen. An sich kann man eine solche Erschließung auch haben, wenn man Straßen baut. Bei der menschlichen Not aber geht es mehr um eine *Forderung*, die in der Schöpfung liegt.

Diese Erschließung ist religiöser Art, ohne dadurch in die »Religion« zu verfallen, gegen die Bonhoeffer ankämpfte. »Religion« im Sinne Bonhoeffers ist dann gegeben, wenn das Religiöse dem Menschen dient. Er meint, daß der Mensch immer dann, wenn er etwas nicht kann (wie z. B. seine Vergangenheit ungeschehen machen) und etwas nicht weiß (den Sinn des Lebens z. B.), er das Religiöse braucht, um diese Lücken zu füllen. In unserem Fall geht es jedoch darum, daß der Mensch die Lücken selber füllt, und Gott kann ihm dabei als gegenwärtig, als nahe erscheinen, wenn einerseits der Mensch immer mehr in seiner fundamentalen Existenznot entdeckt wird, letztlich also in seinem Geschöpf-Sein, und wenn andererseits der Mensch sein Werk als eine Mitwirkung erfahren kann, als die Ausführung einer Aufgabe, die ihm als Geschöpf gegeben ist.

Selbstverständlich muß hier, wie bei jeder Erschließungstechnik, jeder mögliche Vorbehalt gemacht werden, wie es oben schon zum Teil angedeutet wurde. Vor allem muß man den zweifachen Test der Kohärenz und der empirischen Tauglichkeit (»empirical fit«) berücksichtigen. Stärkere »Beweise« wird man nicht ausfindig machen können. Glaube und Theologie können also sehr wohl als subjektiv erscheinen (beim Wunder tritt das sogar sehr stark hervor). Ist aber das nicht gerade die Situation des Glaubens und vieler menschlichen Phänomene? Der Glaube enthält sicher Objektivität, aber nur für den, der »sieht«: eine Erschließungsobjektivität. In einer Erschließung gibt es nämlich etwas, das uns trifft, uns auffällt, uns anzieht. Wir selbst sind dabei verhältnismäßig passiv, es kommt auf uns zu, es wird uns gegeben. Der Glaube ist eine menschliche Haltung, wie Freundschaft und Liebe. Auch da ist der »totale« Wert des anderen nur für den gegeben, der »sieht«. Auch da ist es schwer, jemandem den Inhalt mitzuteilen, der es nicht erfahren hat. Und auch da gibt man sich, wirft man sich in die Liebe, ohne vorher zu berechnen und voll zu verantworten. »Wahrscheinlichkeit ist der beste Lebensführer« (J. Butler). Auch bei der Liebe gibt es eine Verknüpfung des empirischen Faktums mit dessen Interpretation, die nicht wissenschaftlich ist. Daß jemand mich liebt, ist nicht verifizierbar. Ich kann lediglich so lange wie möglich versuchen herauszufinden, inwiefern Liebe die beste Erklärung (»empirical fit«) für das Verhalten des anderen ist (BI 203). Die reine Objektivität der nackten Tatsache ist nun einmal eine Illusion. »Ohne Grundsätze erhalten wir keine Tatsachen«, ja sogar »sehen ist ein von einer Theorie bestimmtes Verstehen«[67]. Eine Tatsache ist ein Noumenon, das von dem wahrgenommenen Phänomenon her durch Interpretation erfaßt werden muß; das Feststellen einer Tatsache setzt darum eine Haltung voraus, die bestimmt, was als Tatsache gelten kann: eine Sicht (blik).

Theologisch ist eine Tatsache eine solche Situation, in der der Glaubende etwas gesehen hat, das er nur evokativ wiedergeben kann. Diesen Vorgang der Evokation beabsichtigte ich einigermaßen am Beispiel des Wunders zu umschreiben. Das ist anscheinend ein Umweg, weil die Offenbarungsworte der Hl. Schrift eine sicherere Sprache bilden. Und doch wirken auch diese Worte nur, wenn sie als Modelle gesehen werden, als Techniken, um zu

---

[67] »Without principles we do not get any facts«; »To see is a theory-laden understanding«. Beide Zitate aus *J. Swanson*, Religious Discourse and Rational Preference Rankings, American Philos. Quarterly 4 (1967), 249–250; das erste stammt von *R. Hare*, Religion and Morals, 190

einer Erschließung zu kommen, und als behutsame Artikulierungen von dem, was man in der Erschließung sieht. Mehr als Evokationen sind sie nicht. Darum spricht eine Theologie, die nicht evokativ arbeitet, auch nicht an, sie hat nichts mitzuteilen. Wie lebenswichtig für die Theologie Erschließungen und evokativer Sprachgebrauch sind, wird durch die Erscheinung der »Säkularisierung« illustriert. Die Grundthese in Nijks Buch – wenn ich ihn recht verstehe – besteht darin, daß alles Religiöse zur Säkularisierung tendiert. Wenn das Religiöse (wie er sagt) ein Handeln nach Art der Hingabe ist und wenn der Mensch darin seine Form finden kann, dann kann das Religiöse jederzeit zu einer Art Selbstverständlichkeit umschlagen[68]. Man kann diesen Vorgang näher als die Aufnahme eines Ritus in ein Kulturmuster umschreiben, so daß er feste Form annimmt und dadurch seinen evokativen Charakter verliert. Er kann so zu einer Selbstverständlichkeit verfallen, in der man eine Art kognitiven Anspruch auf das zu haben glaubt, was eigentlich ein Mysterium ist. Sakrale Dinge (etwa ein Tempel) werden dann Dinge neben anderen Dingen[69], so wie in einem »qualified theism« (einer Theologie ohne Evokation) Gott ein Seiendes neben anderen Seienden ist. Solange es noch Evokation gibt, gibt es Hingabe. Geht die Evokation verloren, dann ist das Heilige entsakralisiert. Was Nijk über den Ritus sagt, kann man auch von der Lehre sagen. Wenn Theologen vergessen, daß ihre Sprache ein evokatives Sprechen ist, das in Erschließungen wurzelt, dann wird die Theologie leblos und säkular. Man glaubt dann zu besitzen, was sich nur andeuten läßt, und meint ein Wissen zu haben wie in der Physik: eine Super-Physik[70].

---

[68] A. J. Nijk, Secularisatie. Over het gebruik van een woord, Rotterdam (Lemniscaat) 1968, 310–311

[69] Ebd., 292–293

[70] Über die Folgen, die entstehen, wenn Philosophie und Theologie die Sprache ihren Aprioris unterwerfen und sich zu wenig daran orientieren, wie die Sprache tatsächlich arbeitet, vgl. J. Verhaar, Some Notes on Language and Theology, Bijdragen 30 (1969), 39–65. In Verhaars sachkundigem und inhaltsvollem Beitrag werden zugleich die Konvergenzen und Differenzen deutlich zwischen 1. philosophischer (theologischer) Grundlagenforschung auf der Basis der Linguistik, 2. einer analytischen Annäherung, die verschieden ausfällt, je nachdem man sich auf Flew und van Buren einerseits stützt oder auf Ramsey

Naturgemäß kann diese Art von Scheinwissen dem Prüfstein der wissenschaftlichen Untersuchung nicht standhalten, und dann ist es selbstverständlich, daß man das spezifisch Theologische (Gott, Gnade, Offenbarung, Kirche als Heilseinrichtung) aus der Theologie entfernt oder es umbiegt, um wenigstens einen Rest zu haben, der beispielsweise von den Verhaltenswissenschaften respektiert werden kann: »Das Problem des Evangeliums in einer säkularisierten Welt ist das Problem der Logik ihrer scheinbar sinnlosen Sprache, und Sprachanalytiker werden uns helfen, diese Sprache zu klären. Wir wagen es, *unser* Problem *das* Problem zu nennen«[71]. Der Sinn von theologischen Termen kann nur gefunden werden, wenn sie auf ihre empirische Basis zurückgeführt werden: eine Situation des Beobachtbaren und mehr, eine disclosure-Situation.

(und ich würde hinzufügen: Wisdom) andererseits, und 3. kontinentaler Hermeneutik.
[71] P. *van Buren*, The Secular Meaning (vgl. Anm. 41), 84

III

THEOLOGIE DER PERFORMATIVEN SPRACHE: EIN PROGRAMM

1. Satzinhalt und Sprechakt

Nach Wittgensteins Tractatus 4.022 *zeigt* der Satz, wie es sich verhält, *wenn* er wahr ist. Und er *sagt, daß* es sich so verhält. In seinen Philosophischen Untersuchungen bemerkt er[1]: »Denken

---

[1] *L. Wittgenstein*, Philosophische Untersuchungen, Anm. zu Nr. 22. – Öfters zitiert werden: *J. L. Austin*, How to do things with Words. The William James Lectures delivered in Harvard University in 1955, ed. by *J. O. Urmson*, Oxford (Clarendon) 1965 ([1]1962) (zitiert als: *Austin*, How); *ders.* Other Minds, in: *Ders.*, Philosophical Papers, ed. by *J. O. Urmson* and *G. J. Warnock*, Oxford (Clarendon) 1966 ([1]1961), 44–84 (Vortrag von 1946); *ders.*, Performatif-Constatif, in: La philosophie analytique (Cahiers de Royaumont, Philosophie No. IV), Paris (Editions de Minuit) 1962, 271–304 (Vortrag von 1958); *ders.*, Performative Utterances, in: *Ders.*, Philosophical Papers, 220–239 (Vortrag von 1956);
N. Chomsky, Aspects of the Theory of Syntax, Cambridge, Mass. (M. I. T. Press) 1965 (zitiert als: Chomsky, Aspects); *ders.*, Some Methodological Remarks on Generative Grammar, in: Word 17 (1961), 219–239; *ders.*, Syntactic Structures, The Hague (Mouton) 1965 ([1]1957), (zitiert als: Chomsky, Synt. Struct.);
D. Evans, The Logic of Self-Involvement. A Philosophical Study of Everyday Language with Special Reference to the Christian Use of Language about God as Creator, London (S. C. M.) 1963. (Gute Zusammenfassung in: *J. Ladrière*, Langage auto implicatif et langage biblique selon Evans. Tijdschrift voor Filosofie 28 [1966], 441–494);
G. Lakoff, Linguistics and Natural Logic, Synthese 22 (1970–71), 151–271;
J. D. McCawley, The Role of Semantics in a Grammar, in: Universals in Linguistic Theory, ed. by *E. Bach* und *R. Harms*, New York/London (Holt, Rinehart and Winston) 1968, 125–169;
J. R. Ross, On Declarative Sentences, in: Readings in English Transformational Grammar, ed. by *R. Jacobs* und *P. Rosenbaum*, Waltham, Mass./London (Ginn and Co.) 1970, 222–272;
E. von Savigny, Die Philosophie der normalen Sprache. Eine kritische Einführung in die »ordinary language philosophy«, Frankfurt (Suhrkamp) 1969;
J. R. Searle, Speech Acts. An Essay in the Philosophy of Language, Cambridge (Cambridge Univ. Press) 1970 ([1]1969);
L. Wittgenstein, Philosophische Untersuchungen, in: *Ders.*, Schriften [I],

wir uns ein Bild, einen Boxer in bestimmter Kampfstellung dar-
stellend. Dieses Bild kann nun dazu gebraucht werden, um jemand mitzuteilen, wie er stehen, sich halten soll; oder, wie er sich
nicht halten soll; oder, wie ein bestimmter Mann dort und dort
gestanden hat; oder etc. etc. Man könnte dieses Bild (chemisch
gesprochen) ein Satzradikal nennen. Ähnlich dachte sich wohl
Frege die ›Annahme‹.« Stenius hat auf den möglichen Zusammenhang beider Texte hingewiesen[2]. Ein Radikal ist eine als Einheit betrachtete Verbindung von Elementen, die selbst nur in größeren Verbindungen auftritt. Es ist also noch keine chemische
Substanz. Es wird dies erst, wenn eine sogenannte chemische
Funktion (wie zum Beispiel die Hydroxyl-Gruppe–OH) sich mit
ihm verbindet. In C_2H_5 (OH) – »gewöhnlicher« oder »Äthyl-Al-
kohol« – ist C_2H_5– das Radikal, gleichsam wie eine Art »Materie«, worauf die chemische Funktion – OH angewandt wird: Auf
äthylähnliche Gruppen angewandt erzielt die Funktion das Ergebnis CH_3 (OH) oder C_3H_7 (OH), nämlich Methyl-Alkohol
oder Propyl-Alkohol. Es könnte auch eine andere Funktion,
nämlich O, mit dem Radikal in Verbindung gebracht werden.
Man erzielt dann $(C_2H_5)_2O$, $(CH_3)_2O$ und $(C_3H_7)_2O$: die Äther-
Sorten.
Frege seinerseits war immer davon überzeugt, daß eine Behauptung etwas mehr ist als ein hingestellter Inhalt. Sage ich: »Wenn
es regnet, dann wird die Straße naß«, so behaupte ich nicht, daß
es regnet. »Es regnet« ist nur eine Leerstelle für mögliche Wahrheitswerte: man kann es ersetzen durch »1« (ist wahr) oder »0«
(ist falsch). Man muß nach Frege den Akt (des Behauptens) unterscheiden von dem Inhalt des Urteils, denn sonst könnte man
eine reine Annahme nicht ausdrücken: die Darstellung eines Fal-
les, ohne auszusprechen, ob es ihn faktisch gibt oder nicht. Deshalb
brauchen wir ein besonderes Zeichen, um etwas behaupten zu
können[3], um ein Urteil als solches zu kennzeichnen. Dies war der

---

Frankfurt (Suhrkamp) 1963 (¹1960), 279–545 (zitiert als: Phil. Unters.); *ders.*,
Tractatus logico-philosophicus / Logisch-philosophische Abhandlung, a. a. O.
9–83
[2] E. *Stenius*, Wittgenstein's Tractatus, Oxford (Blackwell) 1960, 159–160. Im
Folgenden übernehme ich seine chemischen Formeln.
[3] G. *Frege*, Funktion und Begriff (aus 1891), 21–22. Zitiert nach: Transla-

Urteilsstrich ⊢. Sei »S« das Symbol für einen Satz, dann heißt »⊢S«: »es wird behauptet, daß S«. Auch jetzt wird das Zeichen noch verwendet, um anzudeuten, daß S gegeben ist oder im System behauptet werden darf.

Nach Frege und Wittgenstein soll man also am Satz zwei Elemente oder Aspekte unterscheiden: einen gewissen Inhalt (das Radikal) und was man mit ihm tut: behaupten, befehlen, fragen usw. Wir könnten das Symbol für das zweite Element einen Modaloperator nennen; er deutet an, wie der Satz (dessen Inhalt an sich bereits klar ist) verstanden sein sollte[4]. So wäre ⊢ S eine Behauptung, !S ein Befehl, und ?S eine Frage. Man kann natürlich auch andere Zeichen für diese Operatoren verwenden. So wird ein Befehl durch von Wright als O (p) dargestellt und durch Katz als Imp (prop.): die Darstellungsweise ist rein konventionell.

In der analytischen Philosophie der Nachkriegszeit ist man sich immer mehr darüber klar geworden, daß mit der üblichen Analyse der Sätze (die sich nur auf den »Inhalt« oder Satz bezieht), nicht alles getan ist. Um den Sinn eines Satzes zu kennen, muß man wissen, wie er gebraucht wird. Jeder weiß, was »Ich bin ein Mensch« bedeutet. Aber um den Sinn dieser Aussage zu kennen, muß man doch etwas von den Umständen wissen, unter denen der Satz geäußert wird. Ist er eine Entschuldigungsformel, weil man seine Schwiegermutter getötet hat, oder erklärt man damit die Bedeutung des Wortes »Mensch« für jemanden, der Deutsch lernt? Wittgenstein würde sagen: Man muß seine Rolle im Sprachspiel kennen. In ähnlichem Sinne hat Austin am »Sprechakt« zwei Aspekte unterschieden: die sogenannte lokutionäre

tions from the Philosophical Writings of Gottlob Frege, ed. by *P. Geach* and *M. Black*, Oxford (Blackwell) 1966, 34. Für die Schwierigkeiten bezüglich der Interpretation dieses Textes vgl. *V. H. Dudman*, Frege's Judgment-Stroke, The Philosophical Quarterly 20 (1970), 150–161
[4] »Operator« ist ein Ausdruck, der dazu dient, andere Ausdrücke näher zu bestimmen (in unserem Falle Sätze). Gewöhnlich hat ein Modaloperator die Form eines Modalitätssymbols wie »vielleicht«, »notwendig«, »möglich« und dgl. Der Begriff wird hier ausgedehnt auf »Frage«, »Behauptung« usw. Man wird sich aus dem ersten Kapitel erinnern, daß statt »Operator« auch von »Funktor« (Ramsey: »qualifier«) gesprochen wird, z. B. für »all-« in »allmächtig«. Vgl. Anm. 76

Kraft (die Bedeutung des Satzes) und die illokutionäre Kraft (die Funktion, die der Satz in der Kommunikationssituation hat, also den Akt, den man *im* Sprechen – daher der Name – setzt)[5]. Austin wollte mit dieser Unterscheidung seine frühere Theorie der performativen Sprache ersetzen. Demgemäß werde ich vorläufig »performatives Verb« auch für den »Operator der illokutionären Kraft« verwenden[6]. Austin wurde zu seiner Theorie ursprünglich angeregt durch den Unterschied zwischen einem so neutralen Satz wie: »Die Katze liegt auf der Matte« und dem Fall, wenn ich eine soziale Verpflichtung eingehe, anderen mein Wort gebe, meine Reputation aufs Spiel setze, nämlich wenn ich sage: »Ich verspreche dir, morgen da zu sein«, oder: »Ich weiß, daß er böse ist« (das heißt: ich gebe anderen das Recht, auch zu behaupten, daß er böse sei). Verben wie »versprechen« und »wissen« (wie auch »befehlen«, ermächtigen«, »warnen« usw.) haben also etwas Eigenes an sich, das z. B. »spazieren« nicht hat. In der ersten Person Singular Präsens Indikativ *beschreiben* sie nicht eine Aktivität: ihre Äußerung *ist* die Aktivität selber. »Ich verspreche dir, morgen da zu sein« ist keine Art Autobiographie (wie es wohl »Ich habe versprochen« oder »Ich spaziere« wären), sondern das Versprechen selber. Aber vom Anfang an scheint Austin dabei auch an die Funktion eines Satzoperators gedacht zu haben. Denn wenn er 1946 den Begriff des »Performativen« einführt, sagt er: »Die Äußerung von deutlich rituellen Redensarten ist, nach den entsprechenden Umständen, nicht das Beschreiben einer Handlung, sondern die Handlung selbst. (›Ja‹ [nach: Nimmst du Marie zu deiner Frau?]); in anderen Fällen dient die Äußerung dazu, ähnlich wie Ton- und [Gesichts-] Ausdruck, Punktation und Modus, um anzudeuten, daß wir Sprache in einer bestimmten Weise gebrauchen (›Ich warne‹, ›Ich frage‹, ›Ich erkläre‹)«[7]. Zur Wortdefinition sagt er: »Der Name ist natürlich von »perform« (verrichten, leisten) abgeleitet, ein Verb, das gewöhnlich mit einer »Handlung« zusammengeht. Es zeigt an, daß die Äußerung des Satzes das Leisten einer Handlung ist. Es

[5] *Austin,* How 99. Eine gute Darstellung von Austins Theorie bei *Savigny,* Philosophie der normalen Sprache, bes. 127–166
[6] Später werde ich die nötigen Schattierungen anbringen.
[7] *Austin,* Other Minds 71

wird normalerweise nicht als ein ›nur etwas sagen‹ betrachtet«[8].
Gegen das Ende seines Lebens sagte Austin noch (1958): »Eine
explizit performative Formel (wie ›Ich verspreche‹, ›Ich befehle‹
usw.) dient dazu, den Sprechakt, den man mit ihr setzt, zu expli-
zieren und zu präzisieren«[9]. Hinter dem »explizit« steckt aber eine ganze Tragödie. Denn
inzwischen hatte Austin eingesehen, daß es kein grammatikali-
sches Kriterium gebe, um performative von nicht-performativen
(sogenannten »konstativen«) Formeln zu unterscheiden. Denn
mit »Sie werden gebeten, die Türe zu schließen« setzt man genau
den gleichen Sprechakt wie mit »Ich bitte Sie, die Türe zu schließen«. Es gibt also neben explizit performativen Äußerungen auch
solche, die nicht explizit sind (Austin nennt sie »primitive«, oder
»primary« oder »implicit performatives«). Man könnte höchstens
sagen, daß solche Äußerungen auf die Standardformel mit
»Ich...« zurückgeführt werden können[10]. Nun aber scheint man
das gleiche doch auch von Behauptungen sagen zu können. Es
liegt die Vermutung nahe, daß man sogar unter »Die Katze liegt
auf der Matte« – Muster des Nicht-Performativen (nämlich des
»Konstativen«) – auch ein performatives Verb wie »Ich behaupte« oder »Ich sage dir (lediglich), daß...« annehmen könnte.
Tatsächlich mußte Austin seine Versuche, zwischen beiden einen
fundamentalen Unterschied aufzudecken, indem sie zum Beispiel
verschiedenartigen Fehlschlägen ausgesetzt sein sollten, aufgeben.
Damit war aber der ganze Unterschied zwischen performativen
und konstativen Äußerungen hinfällig geworden, und Austin
schien sich nur für einen Unterschied eingesetzt zu haben, den es
nicht gibt.
Trotzdem brauchte er nicht zu verzweifeln, denn es war bereits
etwas Wichtiges entdeckt worden, nämlich der Grund, weshalb
man »Die Katze liegt auf der Matte« von der Äußerung »Ich
verspreche...« nicht nur inhaltlich unterscheiden will. Im ersten
Fall sieht man von der illokutionären Kraft ab und konzentriert
seine Aufmerksamkeit auf den Inhalt des Satzes: die lokutionäre Kraft. Bei Versprechen und dergleichen fällt am meisten die

---

[8] Ders., How 6–7
[9] Ders., Performatif-Constatif 274
[10] Ders., ebd. 274–275

illokutionäre Kraft auf, nämlich die Verbindlichkeit[11]. Aber in allen Sprechakten sind beide Kräfte oder Aspekte anwesend und wohl zu unterscheiden. Somit ist wenigstens ein Punkt klar geworden: man darf die Bedeutung eines Satzes nicht mit dem Zweck, zu dem der Satz verwendet wird, gleichsetzen. Das wäre der »Sophismus des Sprechaktes«[12]. Es ist in der englischen Sprachphilosophie eine Art Gewohnheit geworden zu sagen, der Gläubige drücke mit »Gott hat die Welt erschaffen« und dergleichen nur aus, daß er die Welt in einer bestimmten, nämlich optimistischen Weise sieht oder daß er damit seine Bereitschaft, ein moralisch gutes Leben zu führen, bekundet; ein beschreibender Inhalt sei also nicht da (man denke etwa an Paul van Buren, R. Braithwaite und R. Hepburn). Das kommt aber darauf hinaus zu behaupten, daß ein Satz mit illokutionärer Kraft keine lokutionäre Kraft besitzen kann. Aber daß diese von der illokutionären Kraft vorausgesetzt wird, ist wohl das wenigste, was Austin bewiesen hat[13]. Es kann schon sein, daß der Gläubige mit seinen Sätzen einem bestimmten »Blick« Ausdruck verleiht. Das heißt aber noch nicht, daß der Satz keinen analysierbaren Inhalt hat, der auch kognitiv (wenn auch nur evokativ-beschreibend) sein kann.

In den beiden ersten Kapiteln habe ich den Inhalt religiöser Sätze analysiert, ihre lokutionäre Kraft. Das heißt nicht, daß die illokutionäre Kraft immer außerhalb des Blickfeldes stand; denn immer wurde betont, daß es sich um Erschließungssprache handelt, daß also jemand zu sich selbst gekommen ist. Wenn nach I. T. Ramsey unter jedem Satz, sei er auch noch so »neutral objektiv«, ein »Ich sage dir...« oder etwas Ähnliches verborgen ist (BI 180), dann gilt dies um so mehr so für religiöse Aussagen. Ich habe im ersten Kapitel schon darauf hingewiesen[14]. Nach Ramsey sind Sätze in der zweiten oder dritten Person nicht die logisch letzt-

---

[11] *Ders.*, How 144–145
[12] *Searle*, Speech Acts 136–141
[13] Das gilt, auch wenn man bisweilen unter »lokutionärer Kraft« nicht Sätze (mit Bedeutung und Bezeichnung), sondern Satzfunktionen verstehen muß, wie »Wer hat gewonnen?« und »Was möchtest du?«. Eine Funktion ist eine Formel mit einer Variablen (oder mit mehreren Variablen).
[14] Vgl. S. 27 und 32

gültigen Sätze: sie setzen Sätze in der ersten Person voraus, um logisch vollständig zu sein. »Objektive Sätze scheinen klare, unabhängige [man möchte fast sagen: in der Luft schwebende] Behauptungen zu sein, aber in Wirklichkeit bringen sie unvermeidbar einen sozialen und verbalen Kontext mit sich. Sie setzen einen Sprecher voraus, der seine Existenz bekannt machen möchte, indem er irgendeine Einführung in der ersten Person äußert, wie ›Ich sage dir...‹ oder ›Ich kann dafür bürgen daß...‹« (ib). In späteren Veröffentlichungen (wie M 27) und Gesprächen kehrt der gleiche Gedanke öfters wieder. In einem jüngeren Vortrag noch hat er Sätze in der zweiten und dritten Person wie »Ein Pfennig ist braun« mit Russells unvollständigen Symbolen verglichen[15]: Ausdrücke, die keine Bedeutung haben, wenn sie allein stehen (wie das Pluszeichen in der Arithmetik), anders, als wenn sie in Kategorien, auf die sie zurückführbar sind oder zu deren Kontext sie gehören, analysiert werden. Klassen sind zum Beispiel in der Logik »incomplete symbols«, denn sie sind auf Individuen und ihre Eigenschaften zurückzuführen[16]. So ist für einen Christen die Äußerung: »Es gibt ewiges Leben« in zweifacher Hinsicht unvollständig, denn es sollte heißen: »Ich glaube (oder hoffe, oder bezeuge): es gibt ewiges Leben in Christus.«

Analysen religiöser (und manch anderer) Sprache sollten also durch eine Darlegung ihrer illokutionären Kraft vervollständigt werden. Wenn man die Rolle, die solche Sätze im kirchlichen und öffentlichen Leben haben, nicht analysiert, bleibt man bei logischen statt bei realen Subjekten stehen. Wer ist es, der da sagt »Gott ist allmächtig«, und warum sagt er es? Die Bedeutung (die lokutionäre Kraft) von solchen Sätzen wurde schon dargelegt: Gott ist derjenige, der enthüllt wird, wenn man Beispiele von immer größerer Macht anführt. Wie solche Sätze aber funktionieren, ist damit noch nicht gegeben. Unsere »Theologische Sprachlogik« oder besser »Logik des theologischen Stammelns« soll eine

---

[15] Genauer gesagt: während der Diskussion nach seinem Vortrag »Towards a Christian Understanding of Human Personality in a Scientific Age« (Tilburg, 11. März 1971; nicht veröffentlicht).
[16] B. Russell, Introduction to Mathematical Philosophy, London (Allen and Unwin), 1963 (¹1919) 182: Classes are in fact, like descriptions, logical fictions, or (as we say) »incomplete symbols«.

Modallogik sein, das heißt, auch modale Operatoren oder Funktoren enthalten, und also die illokutionären Kräfte beschreiben. Das ist gemeint, wenn man religiöses Sprechen eine »performative Sprache« nennt.

2. Probleme des performativen Sprachgebrauchs Theologie und wissenschaftliche Methode

Man soll sich aber nicht über die unzähligen Schwierigkeiten bezüglich Austins Theorie der performativen Sprache hinwegtäuschen. Hat er etwa Sprechakte beschrieben, oder nicht vielmehr deren Resultate: die Sätze? Und ist das in einer Philosophie der Sprache, und besonders in der Sprachwissenschaft, nicht immer so? Denn die Sprechsituation scheint nicht systematisierbar zu sein: nur ein Sprachsystem (de Saussures »langue«) ist es. Wenn aber Linguisten wie J. Ross, G. Lakoff und J. McCawley von »performatives« sprechen, und wenn dieser Aspekt bekanntlich zur illokutionären Kraft, also zur Sprechsituation gehört, wovon können sie dann noch sprechen, wenn sie sich doch auf die Sprache als System beschränken? Wenn ich sage »Der Stier ist auf dem Felde«, wird nicht deutlich, ob ich einer Warnung oder einer Beruhigung Ausdruck verleihe. Die Ambiguität der illokutionären Kraft scheint dann eine Sache des elliptischen Sprechens, also der lokutionären Kraft zu sein[17]. Denn im Satz »Tabak und Kaffee, um nur einige Produkte zu nennen, sind teurer geworden« muß der elliptische Teil mit »ich sage dies« vervollständigt werden, und zwar auf der Ebene der Bedeutung, also der lokutionären Kraft. So hat z. B. H. Paul schon am Anfang unseres Jahrhunderts solche Sätze analysiert, ohne von der Rolle eines Satzes sprechen zu wollen. Wo bleibt dann noch der Unterschied zwischen lokutionärer und illokutionärer Kraft? Gibt es überhaupt eine illokutionäre Kraft? Denn es gehört doch zum Sinn des Satzes, daß er zum Beispiel ein Befehl ist[18]? Aber dann muß man

---

[17] So meint es auch S. *Thau*, Illocutionary Breakdowns, Mind 80 (1971), 270–275
[18] *L. J. Cohen*, Do Illocutionary Forces Exist?, in: Symposium on J. L. Austin, ed. by *K. T. Fann*, London (Routledge) 1969, 420–444

sich wieder fragen, wie man mit einem Satz, der gewöhnlich ein Befehl ist, auch eine Bitte meinen kann. Wird überhaupt mit »illokutionärer Kraft« nicht etwas zu Ungreifbares wie die Absicht oder Meinung des Sprechers eingeführt[19]? Was bleibt aber dann von der Bedeutung eines Satzes übrig, wenn sich jemand verspricht, wie etwa Kardinal de Jong, als er sagte »In der neunzehnten Hälfte des zweiten Jahrhunderts...«? Die Hauptaufgabe des illukutionären Aspektes sollte es nach Austin sein, sicherzustellen, daß der Satz vom Hörer richtig aufgefaßt wird (»the uptake« sichern). Aber eine Theorie des richtigen Auffassens fehlt bei ihm vollständig. Wie sollte eine solche Theorie aussehen? Werden alle Sätze nicht auf einmal wahr, wenn man in ihrer Tiefenstruktur so etwas wie »Ich behaupte« oder »Ich befehle« annehmen muß? Denn man kann doch nicht verneinen, daß ich den Satz behaupte? Unter dieser Schwierigkeit hat Austin besonders gelitten[20]. Performative Äußerungen gelingen oder gelingen nicht: Wahrheit oder Unwahrheit scheint bei ihnen nicht in Frage zu kommen. Soll das nun auch von Behauptungen gelten? Und wenn nicht, hat Austin dann vergebens zu zeigen versucht, daß sie keinen bevorzugten Platz unter den Sprechakten einnehmen[21]? Und wenn man diese Theorie doch aufrechterhalten will, ist es dann kein Verrat an Austins Absichten, wenn man »Schließe die Türe!« analysiert als »Ich befehle dir: du schließt die Türe«, wie es viele Linguisten (z. B. Ross und McCawley)[22] tun? Aber wenn man auch »Ich behaupte, daß ...« nicht verneinen kann, was soll man dann mit »Ich rufe es allen zu...«, wenn es flüsternd ausgesprochen wird, anfangen oder mit »Ich flüstere«, wenn es geschrien wird? Wenn die illokutionäre Kraft typisch etwas am Sprechakt ist, scheint sie mit dem Zeitpunkt des Sprechaktes gegeben zu sein. Kann sie aber auch nicht viel später zustandekommen? Zum Beispiel, wenn jemand mich fragt, ob mein Wort »Ich werde morgen

[19] Dies geschah u. a. in *H. P. Grice*, Meaning, The Philosophical Review 66 (1957). Ich zitiere es aus: Problems in the Philosophy of Language, ed. by *Th. Olshewsky*, New York/London (Holt, Rinehart and Winston) 1969, 251–259
[20] U. a. in *Austin*, How 132–146
[21] Vgl. dazu *E. von Savigny*, Philosophie d. n. Spr. 156–162
[22] Vgl. *J. McCawley*, The Role, 155–156

da sein« als ein Versprechen aufgefaßt werden darf, und ich zögernd (denn es war erst nicht meine Absicht) bejahe[23]. Man vergleiche die Praxis der Kirchen: feierliche Erneuerung des Taufversprechens, Ratifizierung einer Ehe durch nachträgliche Zustimmung. War Austins Unternehmen, im Wörterbuch performative Verben zu suchen, nicht ganz verfehlt – so, als wolle man Wörter suchen, die Subjekt sein können? Was man mit einem Satz tun kann, ist das denn nicht relativ unabhängig von der Bedeutung des Hauptverbs? Und kann man die illokutionäre Kraft wohl immer mittels eines performativen Verbs explizieren? Denn die Rolle der Äußerung kann sein, daß ich insinuiere oder schmeichele. Ist »insinuieren« somit ein performatives Verb? Wenn man es aber expliziert, verschwindet die Rolle der Äußerung. Ist »schreiben« performativ? Nach Austin ist der Satz: »Der jetzige König von Frankreich ist kahlköpfig« ein mißglückter Versuch zu einem illokutionären Akt: er ist leer, also eine Fehlanwendung, und deshalb keine Aussage und deswegen nicht wahr oder falsch. Die gleiche Auffassung findet man übrigens bei Strawson[24]. Aber wenn eine Mutter zu ihrem Jungen sagt: »Die Heinzelmännchen werden es nicht aufräumen«, sagt sie die Wahrheit, eben weil es solche Wesen nicht gibt. Ihre Sprechakt muß also gelungen sein, auch wenn er »leer« ist.

Ein Philosoph ist schon von Beruf ein Entdecker (aber kein Erfinder) von Problemen. Die soeben gezeigten Probleme, und noch viele andere, sind da. Die philosophische Theorie der performativen Sprache ist weit davon entfernt, klar zu sein. So wie sie Austin hinterlassen hat, bedarf sie noch vieler Aufklärung und Ausarbeitung. In dieser Lage ist es nun ein glücklicher Umstand, daß sich seit einigen Jahren manche Sprachwissenschaftler mit performativen Äußerungen beschäftigen, und zwar ziemlich intensiv. Es könnte hier sogar ein Schulbeispiel für eine Zusammenarbeit zwischen Linguisten und Philosophen vorliegen. Denn die Frage, ob Philosophen (oder Theologen) etwas von Sprachwissenschaftlern lernen könnten, und umgekehrt, ist in ihrer Allgemein-

---

[23] *Savigny*, Philosophie d. n. Spr. 141–142
[24] *Austin*, How 18–20; *P. F. Strawson*, On Referring, u. a. in: The Theory of Meaning, ed. by *G. Parkinson*, London (Oxford Univ. Press) 1968, 61–85

heit zu vage. Mit der Problematik des performativen Sprachgebrauchs aber wird diese Frage ziemlich scharf umrissen, vorausgesetzt, daß man etwas von den Hintergründen der Sprachwissenschaft seit 1957 weiß[25]. Dies ist übrigens eine nicht so einfache Sache. Ich kann mir vorstellen, daß mancher, der die nun folgende, möglichst simplifizierte Darlegung durcharbeitet, meinen wird, die Transformationsgrammatik sei für Theologen doch etwas zu technisch und kompliziert. Aber erstens vermag ich nicht einzusehen, daß eine Theorie, die für Sprachwissenschaftler nicht zu kompliziert ist und ihnen vor 1957 auch nicht vertraut war, es nun für Theologen sein sollte. Und zweitens hat E. Güttgemanns meines Erachtens zu Recht darauf hingewiesen, daß es ein absolut rätselhafter und völlig unverständlicher Tatbestand der »Theologie des Wortes Gottes« sei, daß sie bis heute keine ausreichende Kenntnis von der Wissenschaft von sprachlichen Vorgängen, von der allgemeinen Sprachwissenschaft oder Linguistik hat[26]. Es ist

---

[25] Ein Überblick über die Geschichte der Sprachwissenschaft bis 1957 und ihre philosophische Tragweite in meinem Aufsatz: Linguistiek: de wetenschap van het taalteken. Een overzicht, Tijdschrift voor Filosofie 29 (1967), 585–642. Im deutschen Sprachraum gibt es die ausgezeichneten Darlegungen in: Kursbuch 5, Frankfurt (Suhrkamp) 1966, Neuauflage 1970, und in: Die deutsche Sprache im 20. Jahrhundert, hrsg. von *P. Hartmann, H. Mayer* u. a., Göttingen (Vandenhoeck) ²1969.
[26] *E. Güttgemanns*, Sprache des Glaubens – Sprache der Menschen. Probleme einer theologischen Linguistik, Verkündigung und Forschung 14 (1969), 86 bis 118. Vgl. *ders.*, Linguistische Probleme in der Theologie I: Skizze von Plänen und Ergebnissen der Forschung, Linguistische Berichte 8 (1970), 18–29, bes. 18. Beide bibliographisch sehr orientierte Übersichten seien wärmstens empfohlen, wenn auch wenn der Autor meint (Ling. Probleme I, 21), ich zöge mich auf eine sprachliche Eigenwelt *theologischer* Sprachspiele zurück. Es sollte aber klar sein, daß ich mittels der Theorie der Erschließungen die Theologie mit anderen Sprachspielen verbunden habe: erstens, insofern andere Sprachspiele (wie diejenigen der Kunst, der Ethik, der Liebe usw.) ebenfalls in Erschließungssituationen verwurzelt sind, und zweitens, indem eine Theorie solcher Wörter wie »Gott« und »ich« entwickelt wurde, die als »Schlüsselwörter« auf kein Sprachspiel beschränkt und so mit allen verbindbar sind. Der Autor fragt sich zudem noch (a. a. O.), ob dem Positivismus nicht eine Scheinantwort gegeben wird. Man muß zugeben, daß Ramseys Theorie wenig Aufmerksamkeit unter den Neopositivisten gefunden hat. Das gleiche gilt aber von den Theologen, wie *H. P. Owen*, The Philosophical Theology of I. T. Ramsey (Theology 74 [1971], 67–74), bemerkt hat, wenn auch nach *J. Macquarrie*,

zudem für die Theologie nicht ganz ungefährlich, wenn Spiritua-
lität und Rationalität zu weit auseinandergehen (obwohl ich mich
hier nicht in die Diskussion um Karl Barths Auffassungen einlas-
sen möchte). Sogar formalisierte Systeme können, richtig verstanden, inspirierende Theorien werden. Man sollte denn auch recht
vorsichtig mit der Gegenüberstellung verstehender und kausaler
(oder erklärender) Methoden sein. Auch Interpretation ist Erklärung mit dem Status einer Hypothese, welche durch Kohärenz
und empirische Bewährung zu validieren ist. Popper, Lévi-Strauss,
Feyerabend, Bunge und Granger, um nur einige Wissenschafts-
theoretiker zu nennen, haben genügend darauf hingewiesen, es sei
ein Mythos zu meinen, Wissenschaftler gingen von unverfärbten,
rein objektiven Tatsachen aus und könnten mittels Induktion
bestimmte Hypothesen aufstellen. Sie gehen gar nicht induktiv
vor, sondern versuchen, die von idealisierten Objekten (Objekt-
modelle oder Begriffsmodelle) gestellten Probleme durch Erklä-
rungshypothesen auf kreative Weise zu lösen. Bewähren sich die
Hypothesen (indem sie Versuchen zur Falsifikation widerstehen),
so entsteht aus ihrer Verbindung ein theoretisches Modell, das als
vorläufige Erklärung für einen mehr oder weniger zufälligen
Problemenkreis gilt, dem man ebenso vorläufig einen Einheit
suggerierenden Namen wie »Physik« oder »Linguistik« gegeben
hat[27]. Etwas populär könnte man sagen: Das Problem (oder die
problemstellende Erfahrung) ist gegeben, und die Lösung ist ein

---

Godsdienstige taal en de recente analytische filosofie (Concilium 5 [1969]
Nr. 6, 145–157), Ramseys Theorie das Beste ist, was es für die Erklärung
theologischer Sprache gibt. Es sollte erst einmal dargelegt werden, was man
unter einer wirklichen Antwort versteht. Soll sie etwa dem Gegner in allem
beipflichten? Muß man z. B. das Verifikationsprinzip als allgemeingültiges
Bedeutungskriterium anerkennen (was sogar kein Neopositivist mehr tun
möchte)? Meines Erachtens ist die beste Antwort auf die Frage nach der
empirischen Basis und der Eigenart theologischer Sprache, daß man eben diese
Basis beschreibt (Erschließungssituationen) und die Natur theologischer Sprache expliziert (Modelle und Operatoren). Für eine mehr direkte Stellungnahme den Neopositivisten gegenüber vgl. meinen Aufsatz: Mystery versus
Insight. Some Implications of the Use of Models in Theology (Diskussions-
beitrag für den International Lonergan Congress, Florida 1970, unveröffent-
licht).
[27] Vgl. H. Roelants, Nieuwe methoden in de menswetenschappen, Vlaams

Schuß in die Luft. Je besser der Wissenschaftler, um so besser wird er ahnen, in welche Richtung er zu schießen hat. Philosophie und Theologie sind da keine Ausnahmen. Die in der Sprachwissenschaft jetzt (in beschränkter Weise) übliche Mathematisierung braucht kein Verrat am Geist des Menschen zu sein. Man realisiere, daß Mathematik im Grunde vorquantitativ ist und daß gerade die Geisteswissenschaftler dazu helfen sollten, eine Mathematik der Qualität auszuarbeiten, oder in unserem Falle: eine Logik der natürlichen Sprache. Es wird unterdessen mit dem Gesagten nicht behauptet, daß jeder Gläubige, oder sogar jeder Pfarrer, ein Sprachwissenschaftler im strengen Sinne sein soll, oder selbst daß er, wenn er betet, alles im Kopf haben muß, was in den beiden ersten Kapiteln steht und hier noch folgen wird. Diesbezüglich scheint mir E. Güttgemanns die Seelsorger zu überfordern. Aber wenn man in den gegenwärtigen Auseinandersetzungen seine Überzeugungen theologisch unterbauen will, sollte man sich nicht damit begnügen, eine Art Predigt auf hohem Niveau zu halten. Jedenfalls wird man ohne eine wenigstens geringe Kenntnis der modernen Sprachwissenschaft nicht aus der Problematik um die performative Sprache herauskommen.

3. Kurzgeschichte der Transformationsgrammatik

a) »Syntactic Structures«: Chomsky 1957

Es ist interessant zu sehen, wie gerade in der Linguistik die Frage vom Verhältnis zwischen Formalisierung (oder Logisierung) und Inhaltsbezogenheit einer Klärung bedarf. Denn es fällt einem bei einer ersten Berührung mit der Transformationsgrammatik auf, wie sehr diese Sprachbeschreibung semantisch motiviert, aber asemantisch aufgebaut ist. Denn einerseits wird in Chomskys Syntactic Structures von 1957 die Mehrdeutigkeit des Ausdrucks »the shooting of the hunters« als Argument für die Erklärungs-

Filologen Kongres, 1971, uitgegeven in opdracht van de Vereniging voor de Vlaamse Filologenkongressen door Prof. Dr. J. Van Haver [B 1730 Zellik].

kraft der Transformationsgrammatik angeführt[28], aber anderseits nur vier Seiten weiter die Frage, wie man eine Grammatik ohne Bezug auf Bedeutungen konstruieren kann, mit der Bemerkung beantwortet wird, daß man mit gleichem Recht fragen könnte, wie man eine Grammatik ohne Kenntnis der Haarfarbe der Sprecher aufstellen kann. Es ist hier eben das Verhältnis zwischen Formalismus und bestimmten Auffassungen über Semantik im Spiel, wie sich aus dem Folgenden ergibt. Obwohl Chomsky die sogenannte Konstituentengrammatik (»phrase structure grammar«) – wo Sätze in ihre Bestandteile analysiert werden – als Kandidatin für eine vollständige Beschreibung der Sprache abweist, übernimmt er doch das Wesentliche daraus, nämlich das Verfahren der Einklammerung, wodurch man zusammenbringt, was zusammengehört. In einer solchen Grammatik werden Sätze generiert – das heißt explizit beschrieben[29] –, und zwar mittels Konstituentenregeln (abgekürzt: KS-Regeln), die als Resultat sogenannte Strukturbäume (»phrase markers«) oder Konstituentenstrukturbeschreibungen (KS-Beschreibungen) ergeben, aus denen man die Struktur des Satzes ablesen kann. Chomskys Vorliebe für die Form eines Baumdiagramms gegenüber derjenigen einer Klammerstruktur ist nur Sache einer mehr visuellen Vorstellung[30]. So hebt man die Ambiguität von »alte Männer und Weiber« genau so gut auf mit »alte (Männer und Weiber)« oder »(alte Männer) und Weiber« – nur im ersten Fall sind die Weiber alt – wie mit den folgenden Strukturbäumen. (Zu den Sigla: NP steht für »Nominalphrase«, N für »Nomen« oder »Substantiv«, Det für »Determinative«, T für »Satzteil«, O für »Operator«, Arg für »was durch einen Operator bestimmt wird.) T wird nur ad hoc eingeführt, und mit O und Arg antizipiere ich Entwicklungen nach 1968. Denn es geht hier nur um eine Illustration. Die Konstituentenstruktur (mit Einsetzung von Elementen wie der Mehrzahlform »Männer« usw.) könnte dann wie folgt aussehen:

---

[28] 88–89. Ein deutsches Beispiel wäre »das Fragen der Theologen«.
[29] Vgl. ders., Aspects 3–4 und 9; Synt. Struct. 48
[30] Vgl. J. Lyons, Chomsky, London (Collins/Fontana) 1970, 57–61, und für die Stellung der Semantik in Chomskys Arbeiten bis einschließlich 1965: J. C. Nyíri, No Place for Semantics, Foundations of Language 7 (1971), 56 bis 69

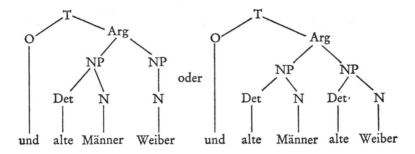

Solche KS-Beschreibungen kommen mittels Konstituentenregeln zustande, die letzten Endes folgende Form haben:

$$\Sigma : S$$
$$F : S \to a\, b$$
$$S \to a\, S\, b$$

Die Regeln lassen sich auch auf ihre Resultate anwenden. Wenn also S (sagen wir: der Satz) umformuliert werden darf als *a S b*, und S als *a b*, kann man auch *a a bb* ableiten[31]. Nebenbei bemerkt Chomsky, daß das Σ auch mit weiteren spezifischen Symbolen für »deklarativen Satz«, »fragenden Satz« usw. erweitert werden kann. Es bleibt aber nur bei dieser Bemerkung[32]. Statt der Buchstaben a und b werden gewöhnlich Namen für syntaktische Kategorien (wie NP und VP) verwendet, das heißt für die Knoten in der KS-Beschreibung. Das Satzobjekt kann somit definiert werden als die Nominalphrase, die unmittelbar dem Knoten »Verbalphrase« untersteht (man sagt auch wohl: die direkt durch die Verbalphrase dominiert wird). Dies ist leicht ersichtlich aus dem folgenden Strukturbaum (Seite 124).

Die Erklärungskraft der Konstituentengrammatik ist größer als diejenige der sogenannten *finite state* Grammatik, welche nur linear, d. h. von links nach rechts, operiert. Nach »der« könnte, dieser Grammatik nach, wohl »Mann« oder »Aberglaube«, nicht aber »Kind« folgen. Eine solche Grammatik wird aber der Interdependenz syntaktischer Elemente nicht gerecht, denn die Einflüsse gehen nicht nur von links nach rechts, sondern auch von

---

[31] *Chomsky*, Synt. Struct. 29–30
[32] Ebd. 29. Gewöhnlich aber faßt er Fragen als abgeleitet auf.

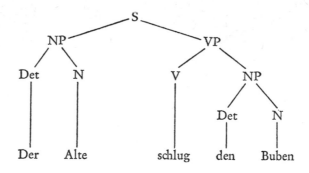

rechts nach links. Aber selbst die Konstituentengrammatik reicht nicht als Beschreibung aus, unter anderem weil es transformationelle Ambiguitäten gibt wie »the shooting of the hunters«[33], oder – damit die Ambiguität besser herauskommt – »das Fragen der Theologen«. Die Auflösung solcher Mehrdeutigkeiten setzt eine Kenntnis ihrer »Ableitungsgeschichte« voraus, und solche Kenntnis wird erst in einer Transformationsgrammatik vermittelt. In dieser Grammatik werden nach dem ΣF-Modell mittels KS-Regeln Ketten *(strings)* generiert, welche durch obligatorische Transformationen in sog. Kernsätze *(kernel sentences,* wie »ich liebe Karl«), oder durch obligatorische *und* optionale Transformationen in abgeleitete Sätze (wie »ich liebe Karl nicht«) verwandelt werden. Die Kernsätze sind einfache, aber doch grammatische Sätze einer Sprache. Welche das sind, ist nicht immer deutlich[34]. Damit man nun »das Fragen der Theologen« richtig versteht, muß man wissen, ob dieser Ausdruck aus »Die Theologen fragen« oder aus »Sie fragen die Theologen« transformiert worden ist. Es handelt sich hier also, wie übrigens im Beispiel von den alten Weibern, um eine strukturelle Mehrdeutigkeit. Semantische Betrachtungen spielen in Chomskys Grammatik von 1957 eine Rolle nur, insofern es sich um strukturelle Bedeu-

---

[33] Ebd. 87–89. Ein beliebtes Beispiel ist auch »Flying planes can be dangerous«.
[34] Vgl. auch oben, Anm. 32. Später wird die Lage klarer. Es wird dann von »Tiefenstrukturen« (vgl. Humboldts »innere Form«) und von durch Transformationen entstandenen »Oberflächenstrukturen« gesprochen und simplifizierend gesagt, daß diese bei den Kernsätzen zusammenfallen (Aspects 17–18, 199).

tungen handelt (auch wenn er diesen Namen nicht liebt[35]). Nun aber können solche Bedeutungen nach Chomsky mittels einer durchaus unsemantischen Theorie über grammatikalische Strukturen behandelt werden[36]. In diesem Sinne also hatte es die Transformationsgrammatik anfänglich ebensowenig mit Bedeutungen als mit den Haarfarben der Sprecher zu tun.

Diese syntaktisierende Tendenz ist allerdings begreiflich. Es war Chomskys großes Verdienst, den Algorithmus auf natürliche Sprachen statt nur auf Kunstsprachen angewandt zu haben. Diese Methode hatte sich in der Mathematik bewährt, besonders in bezug auf das (virtuelle) Unendliche[37]. Besonders E. L. Post hatte am Anfang der dreißiger Jahre eingesehen, daß Algorithmen nicht ans Rechnen mit Zahlen gebunden sind; man kann sie auch für Mengen von Symbolreihen anwenden, wo die Reihen als Sätze aufgefaßt werden können. Ist ein bestimmtes Alphabet gegeben, und innerhalb dessen ein oder mehrere Axiome bezüglich der Symbole aus diesem Alphabet (z. B. daß »a b« als Reihenfolge erlaubt ist), dann wird durch die im Algorithmus erlaubten Produktionen eine Menge von Symbolreihen bestimmt, die aus dem Gegebenen innerhalb des Alphabets ableitbar sind. Es sei z. B. der Algorithmus A gekennzeichnet durch[38]:

1. das Alphabet a, b;
2. die Axiome a und b;
3. die Produktionen $u \Rightarrow ua$ und $u \Rightarrow ub$.

Die Menge aller durch Anwendung dieses Algorithmus erzeugten Zeichenreihen wird also nach 1. nur aus den Symbolen a und b bestehen, nach 2. anfänglich aus a und b, und nach 3. aus Reihen, die um ein a oder b vermehrt werden (u ist eine Variable für irgendeine Zeichenreihe im Algorithmus A). Hat man also a, dann kann a a oder auch a b erzeugt werden, und daraus a b a, a b a b usw. Solche Produktionen sind in der Linguistik bekannt als Rekursivregeln; das Σ F-Modell stellt ein Beispiel davon dar. Ist »er sagt« gegeben, dann kann auch »er sagt, daß er sagt« erzeugt werden.

---

[35] *Chomsky*, Synt. Struct. 108; vgl. aber ib. 103, Anm., und 87, Anm.
[36] Ebd. 103, Anm.
[37] Zur Theorie der Algorithmen vgl. *E. Beth*, Moderne Logika, Assen (Van Gorcum) 1967, 156–164   [38] Dieses Beispiel ist *Beth* 156 entnommen.

Nach Chomsky gibt es, wenn man eine rigorose und effektive Beschreibung einer Sprache erzielen will, keinen anderen Weg als denjenigen solcher (oder ähnlicher) formeller Methoden[39]. Denn nur solche mit Rekursivität arbeitenden Methoden sind dazu geeignet, die Kreativität »der eingeborenen Sprecher« *(native speakers)* zu erklären. Denn diese Sprecher bringen immer neue, bis dahin noch nicht produzierte Sätze hervor. Sie unterscheiden dabei noch grammatikalische von ungrammatikalischen Sätzen. Die Transformationsgrammatik ist zwar nicht als ein Modell für die wirkliche Erzeugung von Sätzen gemeint (sie ist kein Simulations- oder Nachahmungsmodell); aber sie macht es uns verständlich, wie dieses Phänomen möglich ist. Es werden zu diesem Zweck zwei Arten von Regeln angenommen: solche, die eine »Endkette« (terminal string) erzeugen (KS-Regeln), und solche, die diese in einen Kernsatz oder in abgeleitete Sätze umwandeln (Transformationsregeln). Erst so wird erklärt, daß Aktiv und Passiv irgendwie zusammengehören[40] und daß »Ich verspreche dir, daß ich morgen kommen werde« und »Ich verspreche dir, morgen zu kommen« Varianten von ein und derselben Struktur sind. Die erste Art von Regeln – wir sind ihr schon im Σ F-Modell begegnet – kann man leicht daran erkennen, daß sie links vom Zeichen »→« nur *ein* Symbol haben; bei den zweiten aber werden Strukturen in Strukturen umgestaltet; man hat also links mehrere Symbole; der Pfeil ist oft ein Doppelpfeil. Obwohl man im Deutschen zum Beispiel sagen kann: »Er geht davon«, ist: »Er behauptet, daß er geht davon« ungrammatisch. Eine Transformationsregel muß also dafür sorgen, daß diese Struktur umgesetzt wird. Substituieren wir *a* für »daß«, *b* für »er«, *c* für »geht« und *d* für »davon«, dann könnte die Transformationsregel heißen: $a\ b\ c\ d \Rightarrow a\ b\ d\ c$. Es ist also deutlich, daß »Transformationsgrammatik« eine Abkürzung ist für »transformationelle generative Grammatik«. Denn die Transformationen operieren innerhalb einer generativen (d. h. deskriptiven) Grammatik.
Mit seiner algorithmischen Methode hat Chomsky sich bewußt

---

[39] Vgl. *Chomsky*, Synt. Struct. 103, und *ders.*, Aspects 9
[40] 1957 heißt es, daß das Passiv aus dem Aktiv transformiert wird, während nach Chomskys Aspects von 1965 beide Modi Transformationen aus einer gemeinsamen Tiefenstruktur sind.

Humboldts Worte zu eigen gemacht, daß die Sprache einen unendlichen Gebrauch von endlichen Mitteln macht[41]. In moderner Terminologie könnte man die Zielsetzung seiner Transformationsgrammatik folgendermaßen umschreiben: Wenn D die Menge aller möglichen endlichen Reihen aus Wörtern der deutschen Sprache ist und D_1 die Teilmenge von D, die nur aus den grammatischen deutschen Sätzen besteht, dann geht es um die Aufgabe, die Menge D_1 zu charakterisieren. Dies geschieht mittels algorithmischer Produktionen. Die deutsche Sprache erscheint dann als eine bestimmte, kanonische (d. h. hier: durch die erlaubten Produktionen erzeugte), wenn auch nicht mittels eines Kriteriums entscheidbare Menge[42].

Es wird kaum jemand die Fruchtbarkeit dieser Methode für die Erklärung der Kreativität eines Sprechers abstreiten, vorausgesetzt, daß diese Kreativität nicht romantisch (wie bei de Saussure[43]), sondern als von Regeln beherrscht aufgefaßt wird. Aber wenigstens historisch führte sie zu einer Vernachlässigung der Semantik. Auch wenn Chomsky 1961 den Wortbedeutungen etwas mehr Aufmerksamkeit zu widmen anfängt, beschränkt er sich noch vornehmlich auf eine Theorie der Subkategorisierung[44]. »The shooting of the hunters« kann noch mit Kategorien wie Nomen und Verb beschrieben werden. Aber um zu erklären, wieso in »Johann spielt Fußball« Johann, und nicht Fußball, Subjekt sein kann, wird man diese syntaktischen Kategorien mehr spezifizieren müssen. Das geschieht durch Regeln, die mit Subkategorien wie »beseelt« operieren: nur Lebewesen können Subjekt von »spielen« sein. Solche Regeln sind aber grundsätzlich noch syntaktischer Natur. Wenn man hier eine Bedeutungstheorie einführen möchte, dann wäre am geeignetsten eine statistische,

---

[41] Chomsky, Aspects 8; ders. Language and Mind, New York (Harcourt) 1968, 15
[42] Vgl. Beth, Moderne Logica 163
[43] Vgl. H. Berger, Van de Saussure tot Chomsky, Tijdschrift voor Filosofie 32 (1970), 193. Dieser Autor hat zu Recht darauf hingewiesen (S. 187), daß de Saussures Strukturalismus nur mit Oberflächenstrukturen und dazu gehörenden Klassifikationen arbeitet und also wesentlich taxonomisch ist.
[44] Chomsky, Some Method. Remarks. Schon früher, 1958, hatte er von »subcategorizations« Gebrauch gemacht, aber ohne weitere Reflexion. Vgl. J. Nyíri (s. o. Anm. 30) 61

nach welcher die Bedeutung eines Wortes sich aus der Stelle errechnet, die es in der Totalität der Sprache (d. h. in der Totalität aller möglichen Sätze) einnimmt. Man findet aber bei Chomsky auch noch eine andere Bedeutungstheorie, und zwar in Syntactic Structures, wo er einmal zustimmend Goodmans Standpunkt zitiert, nach welchem der Begriff »Wortbedeutung« wenigstens teilweise auf »Bezeichnung aller Ausdrücke, die diese Wörter enthalten«[45] zurückgeführt werden kann. Es scheint mir denn auch der Vorbehalt »teilweise« nicht überflüssig zu sein. Denn es wird sich nicht um ein Entweder-Oder handeln, sondern um Theorien, die einander ergänzen. Aber für Bedeutungen als »Bezeichnung« gab es in der algorithmischen Methode keinen Platz; ebensowenig übrigens für eine ausgearbeitete Semantik im allgemeinen.

b) Die »Standard Theory«: 1963

Am Anfang der sechziger Jahre wurden sich einige von Chomskys Kollegen am Massachusetts Institute of Technology (M. I. T.) bewußt – namentlich J. Katz, J. Fodor und P. Postal –, daß die algorithmische Grammatik Chomskys zu asemantisch war. Denn wenn man mit Hilfe der Transformationsgrammatik die Kompetenz der Sprecher erklären wollte, sollte man auch mit ihr erklären, wie die Sprecher Satzbedeutungen unterscheiden. Chomskys Grammatik von 1957, die nur einen syntaktischen Rahmen darstellte, der zum Träger einer semantischen Analyse werden könnte[46], sollte also mit einer semantischen Komponente SC vervollständigt werden (eine phonologische Komponente war schon in ihr enthalten). Dieser semantische Bestandteil sollte an der syntaktischen Tiefenstruktur anknüpfen, um so (mit Hilfe seiner Regeln) die semantische Repräsentation, Grundlage der inhaltlichen Interpretation, hervorzubringen. So war, was später die »Standard Theory« genannt wurde, eine Tatsache geworden. Man kann sie schematisch wie folgt vorstellen:

---

[45] *Chomsky,* Synt. Struct. 103, Anm. 10: »Goodman has argued – to my mind, quite convincingly – that the notion of meaning of words can at least in part be reduced to that of reference of expressions containing these words«.
[46] Ebd. 108

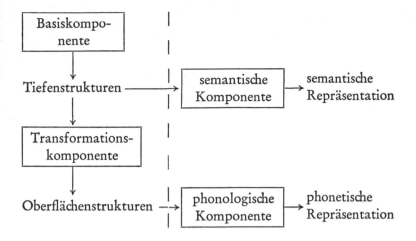

Was sich links von der gestrichelten Linie befindet, ist syntaktischer Natur. Die vier Komponenten bestehen aus Regeln. Man könnte mit Katz und Postal auch sagen, es gebe drei Komponenten, nämlich eine syntaktische, eine semantische und eine phonologische; die erste umfaßt dann zwei Subkomponenten (diejenigen der Basis und der Transformationen). Die syntaktische Komponente ist fundamental, insofern die anderen Komponenten auf ihrem Ergebnis (output) operieren, d. h. in den abstrakten Strukturen, die den wirklichen Äußerungen zugrunde liegen. Diese abstrakten Strukturen bestehen aus einer Kette (string) von kleinsten, syntaktisch funktionierenden Elementen (Formativen) und aus einer strukturellen Beschreibung, welche die syntaktischen Eigenschaften der Reihe spezifiziert (Strukturbäume, Subkategorisierungen). Die semantische Interpretation einer bestimmten syntaktischen Struktur beschreibt die Bedeutung des Satzes, der diese Tiefenstruktur hat[47]. Die semantische Repräsentation, die aus der Tiefenstruktur mittels der semanti-

[47] J. Katz/P. Postal, An Integrated Theory of Linguistic Descriptions, Cambridge, Mass. (M. I. T.) 1967 (¹1964) 1. Mit »Tiefenstruktur« usw. antizipiere ich Aspects 1965. Vgl. auch J. Katz, The Philosophy of Language, New York/London (Harper and Row) 1966, bes. 144–175, und J. Katz und J. Fodor, The Structure of a Semantic Theory, in: The Structure of Language. Readings in the Philosophy of Language, ed. by J. Fodor und J. Katz, Englewood Cliffs (Prentice-Hall) 1964, 479–518

schen Komponente hervorgeht, enthält die Instruktionen für die Interpretation: sie enthält nämlich alle möglichen semantischen Beschreibungen (dies ist das Resultat der semantischen Komponente), aus denen man durch Selektionsbeschränkungen die mögliche Interpretation (oder Interpretationen) für einen syntaktischen Strukturbaum herausfindet. So wird diese Theorie auch wohl »Interpretative Semantik« genannt.

Es ist für unsere Darlegung wichtig, die semantische Komponente, wie sie vom »späteren« Katz aufgestellt wird[48], näher zu betrachten. Sie umfaßt zwei Arten von Regeln: Eintragungen *(lexical entries)*, wodurch Wörter mit ihren normalen Bedeutungen verbunden werden, und Projektionsregeln (Term aus der Logik der Modelle), wodurch ein Sprecher Eintragungen zu einer Phrase oder zu einem Satz kombiniert. In »Johann ißt Äpfel« bringt zum Beispiel eine Projektionsregel »Äpfel« und »ißt« zusammen. Die Eintragungen umfassen Formative, syntaktische Strukturen *(syntactic markers* wie Nomen und Verb) und semantische Strukturen *(semantic markers)*.

Die Theorie der semantischen Strukturen könnte auch theologisch interessant sein, weil sie die konzeptuellen Elemente, aus denen die Bedeutung eines Wortes zusammengesetzt ist, enthalten. Weil die semantischen Strukturen in Selektionsbeschränkungen terminieren, bestimmen sie die Kombinierbarkeit der möglichen Eintragungen in einer gegebenen syntaktischen Struktur. So könnte man auch theologische Sätze auf die Weise analysieren, daß man für jedes Wort eines gegebenen Satzes alle möglichen semantischen Strukturen aufstellt, um dann mittels der semantischen Selektionsbeschränkungen die richtige Interpretation herauszufinden. Eine solche Methode ist durch Graf R. MacCormac ausgearbeitet worden[49]. Es sei folgende syntaktische Beschreibung für »Gott erschuf die Welt« gegeben (Seite 131).

Um diesen Strukturbaum semantisch zu interpretieren, müssen wir Eintragungen für die verschiedenen Wörter aufstellen und die geeigneten Projektionsregeln anwenden, wodurch die Eintragungen auf angemessene Weise kombiniert werden. Genau

---

[48] Chomsky sieht sie in den Aspects anders.

→[49] *Earl R. MacCormac*, A New Programme for Religious Language: The Transformational Generative Grammar, Religious Studies 6 (1970), 41–55

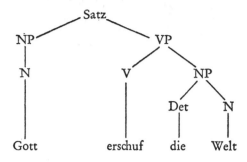

das tat MacCormac. Weil es mir nur um die Methode geht, beschränke ich die möglichen Eintragungen auf je drei. Man soll sich jede Eintragung mit einem selektiven Merkmal (bei Katz <SR>) versehen denken.

Gott ... N ...

1 (physisches Objekt), (mit Gestalt), (menschlich oder tierisch), ...
2 (animistischer Geist), (mit der Natur verbunden), ...
3 (Geist), (höchstes Wesen), (ewig), (Schöpfer), ...

.
.
.

Erschaffen ... V ...

1 (verursachen, daß etwas entsteht), ...
2 (verursachen, daß etwas geschieht), ...
3 (aus seiner Einbildungskraft hervorbringen), ...

.
.
.

Welt ... N ...

1 (physisches Objekt), (Planet), (Erde), ...
2 (menschlich), (Gruppe), (säkular), ...
3 (physisches Objekt), (Universum), ...

Es wird deutlich sein, daß erschaffen₂ auf Ereignisse beschränkt und also nicht mit einer der drei Eintragungen für »Welt« verbindbar ist. Wenn erschaffen₃ sich nur auf Ideen bezieht, braucht es auch nicht weiter untersucht zu werden. So kann man immer weiter selektieren, bis zum Beispiel nur »Gott, ein höchster Geist, verursachte das Entstehen des physischen Universums« übrig bleibt.

Die Methode MacCormacs hat gewisse Vorteile. Man kann mit ihr religiöse Aussagen auch für diejenigen verdeutlichen, die keine kosmischen Erschließungen zu erfahren glauben. Die semantische Strukturbeschreibung hat ein starkes intersubjektives Element an sich. Man könnte sie auch als Vorarbeit für die Anwendung von Ramseys Methode betrachten. Denn wenn man einen Satz durch Modelle und »qualifiers« erläutern will, muß man erst wissen, *welchen* Satz man erklären will. Dennoch sollte man realisieren, daß mit dem Resultat »Gott, ein höchster Geist, verursachte das Entstehen des physischen Universums« die eigentliche Interpretationsarbeit noch anzufangen hat. Denn was soll in diesem Zusammenhang »verursachen« bedeuten? Vielleicht muß man, um dies aufzudecken, wieder semantische Beschreibungen von »verursachen« konstruieren. Aber ohne so etwas wie Ramseys »Erschließungen« wird man kaum auskommen. Und diese werden sich nicht leicht in MacCormacs Methode einbauen lassen, weil er anscheinend zu statisch vorgeht. Die Wörter sind Blöcke geworden, die mehr oder weniger (oder auch nicht) zusammenpassen, und die Strukturen sind zu sehr voneinander getrennt. Wenn man die Bedeutung von erschaffen$_1$ als Erschließungswort erklären will, kann man wahrscheinlich am besten mit erschaffen$_3$ anfangen, um über erschaffen$_2$ als »qualified model« zu einer Erschließung von erschaffen$_1$ zu gelangen. Es wird denn auch deutlich sein, daß die semantische Artikulierung von erschaffen$_1$, so wie sie in MacCormacs Beschreibung denjenigen von erschaffen$_2$ und$_3$ parallel geführt wird, viel Scheinwissen enthält. Ramseys Anliegen besteht gerade darin, diese Parallelisierung zu bekämpfen.

An der von Katz und Postal eingeführten Grammatik, auf die sich MacCormac stützt, haften zudem verschiedene methodische Schwächen (abgesehen von ihrer Unklarheit), von denen auch Chomsky, als er 1965 die Standard-Theorie übernahm[50], nicht

---

[50] Nämlich mit Aspects

ganz frei geblieben ist. Wohl aber hat er in einem Punkte eine wesentliche Verbesserung gebracht. Dies führt uns wieder zur Geschichte der Transformationsgrammatik.

Vor kurzem wurde durch Pieter Seuren darauf hingewiesen, daß man mit Projektionsregeln nur Strukturen in andere Strukturen verwandelt[51]. Wenn also das Input nicht semantischer Natur ist, so wird auch das Output nicht dieser Art sein. Es wird dann im Katz-Postal-Schema nichts interpretiert. In Chomskys Standard-Theorie seien die Projektionsregeln denn auch mit Recht verschwunden. Aber auch er hat nun eine semantische Komponente (im Gegensatz zu seiner Theorie von 1957); nur besteht diese etwas neutraler aus semantischen Regeln, die Voraussagen auf mögliche Interpretationen von Sätzen erlauben. Das Lexikon – das übrigens nur abstrakte Hinweise und unter anderem auch Subkategorisierungen enthält – bekam eine Sonderstellung, nämlich in der Basis (zusammen mit »Insertionsregeln«, welche die lexikalische Insertion spezifizieren). Bis dahin war die Basis vornehmlich als eine Menge von Konstituentenstrukturregeln aufgefaßt worden; von nun an sind diese aber eines der drei Elemente in der Basis. Wo die Zweige der Strukturbäume enden, sollen lexikalische Elemente eingeführt werden. Welche das sein können, wird durch die Insertionsregeln bestimmt. Man kann sich die Basiskomponente also wie folgt vorstellen:

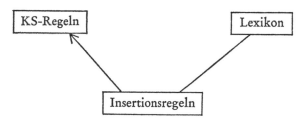

[51] *P. Seuren,* Autonomous versus Semantic Syntax. Vortrag, gehalten am 3. April 1971 in Leuven; wahrscheinlich im Druck. Dieser Vortrag hat für mich vieles geklärt. Über die spezifische These Seurens möchte ich hier nicht urteilen. Denn meine Absicht ist nur, einen allgemeinen (und simplifizierenden) Überblick zu geben. Auch ein Vortrag von *J. F. Staal,* De generatieve grammatika en filosofie van de taal in de U.S.A. (Groningen, 1970) hat mich inspiriert, ebenso Gespräche mit meinen Kollegen in Leuven: O. Leys, F. Droste und H. Parret, sowie mit F. Vandamme in Gent.

Die Insertionsregeln sind also Aufträge, welche Eintragungen man tun kann oder muß. Das Katz-Postal-Schema bleibt aber geltend. Und so konnte Chomsky das Ergebnis seiner Standard-Theorie definieren als »Ein In-Verbindung-Setzen der semantischen Interpretation mit der phonetischen Vorstellung (phonetic representation) mit Hilfe des syntaktischen Bestandteils der Grammatik, der der einzige schöpferische Teil der Grammatik ist« [52].

c) »Erweiterte Standard-Theorie« und »Generative Semantik«: 1967

Indem er das Standard-Schema behielt, übernahm Chomsky doch eine grundsätzliche Schwäche, nämlich daß die Transformationsregeln »bedeutungsinvariant« sind, das heißt: nichts an der Bedeutung ändern. So sagt er selber, daß nach seinem von Katz und Postal übernommenen Prinzip der einzige Beitrag der Transformationen bezüglich semantischer Interpretation darin besteht, daß sie Strukturbäume miteinander in Verbindung setzen [53] (was übrigens die herkömmliche Definition des transformationellen Bestandteils war). Wenn dem aber so ist, können die syntaktischen Oberflächenstrukturen nicht *mehr* semantische Information enthalten als die ebenso syntaktischen Tiefenstrukturen. Dem widersprechen nun die Tatsachen. 1968 hat Chomsky das auch eingesehen: es muß bedeutungsändernde Transformationen geben [54]. Er gibt verschiedene Beispiele dafür, wovon eines hier, auf europäische Verhältnisse zugeschnitten, angeführt sei. Im Satz: »Der Johann ist klein, sogar für einen Appenzeller«, heißt es, daß Appenzeller klein sind. Sage ich aber: »Sogar Johann ist klein für einen Appenzeller«, dann impliziere ich, daß die Appenzeller groß sind. Nun ist der Stellenwechsel von Adverbien nach Chomsky Sache der Transformationen; aber er führt doch Bedeutungsveränderung mit sich. Die Anerkennung dieser Tat-

---

[52] *Chomsky*, Aspects 135–136
[53] Ebd. 132–135
[54] *N. Chomsky*, Deep Structure, Surface Structure, and Semantic Interpretation, in: Semantics: An Interdisciplinary Reader in Philosophy, Linguistics and Psychology, Cambridge (Cambr. Univ. Press) 1971. Ich benützte einen hektographierten Text (Linguistics Club, Indiana University, Jan. 1969).

sache, nämlich daß es vernünftig sei, Interpretationsregeln zu postulieren, die zusätzliche Daten benützen, die in der Tiefenstruktur nicht anwesend sind, ist in der sogenannten »Erweiterten Standard-Theorie« niedergelegt (E. S. T.: *Extended Standard Theory*, 1968). Im Schema wird sie gegenüber der Standard-Theorie um einen Pfeil erweitert, nämlich von der transformationellen zu der semantischen Komponente. Ob der Einfluß auch in umgekehrte Richtung geht, ist fraglich (Chomsky benützt kein Pfeile-Schema). Die Standard-Theorie wird in der E. S. T. nicht ganz verlassen, obwohl Chomskys Position von nun an nicht mehr mit derjenigen von Katz gleichgesetzt werden kann, der nämlich bei der Standard-Theorie stehen geblieben ist. Denn im E. S. T. werden nur für einige semantische Informationen Einflüsse, die nicht den Tiefenstrukturen entstammen, angenommen. Dazu gehören namentlich die Bezeichnung *(reference)* und der Bereich der logischen Operatoren, besonders der Negation, der Quantifikatoren und der Modalitäten. Daß z. B. die Quantifikatoren ihren semantischen Einfluß auf der Ebene der Oberflächenstrukturen haben, ist leicht ersichtlich, wenn man den Satz »Jeder Mensch liebt wenigstens drei Leute« ins Passiv zu transformieren versucht. Aber die schwächere Hypothese der Standard-Theorie, nämlich daß die grammatikalischen Beziehungen in der Tiefenstruktur (funktionale Beziehungen wie zwischen Subjekt und Prädikat) die semantische Interpretation bestimmen, wurde aufrechterhalten.

Dies war und ist eine vernünftige Alternative, aber tatsächlich nur eine Alternative. Denn es gibt auch eine andere Möglichkeit, so wie sie von G. Lakoff, J. McCawley und J. Ross um 1967 ausgearbeitet wurde: die sogenannte »generative Semantik«. Auch diese Sprachwissenschaftler hatten die grundsätzliche Schwäche des Katz-Postal-Schemas eingesehen und waren davon überzeugt, daß in der Oberflächenstruktur mehr semantische Information enthalten ist, als es Chomskys syntaktische Tiefenstruktur erlaubte. Auch sie verwiesen dafür auf den Stellenwechsel der Adverbien, aber doch besonders auf die semantischen Voraussetzungen von Versprechungen und Befehlen. Denn in Sätzen wie »Johann hatte Marie versprochen, sich freundlich zu benehmen« muß man im Nebensatz ein getilgtes Subjekt annehmen, das mit dem Johann identisch ist. Diese und ähnliche Phänomene schienen darauf hinzuweisen, daß man es hier mit syntaktischen Regeln zu tun hatte, die semantische Erklärungskraft besitzen. Der Unterschied zwischen syntaktischen und semantischen Regeln scheint also hinfällig zu sein. So nahmen diese Autoren die Hypothese an, daß sie zusammenfallen, wie auch die syntaktische Tiefenstruktur und die semantische Repräsentation. Ein getrennter semantischer Bestandteil existiert dann nicht mehr. Statt von Tiefenstrukturen wird jetzt mehr von der logischen Form oder logischen Struktur gesprochen, wie auch von Regeln, die die logische Form mit der Oberflächenstruktur in Verbindung setzen (was bis dahin Aufgabe der transformationellen Komponente war)[55]. Es wäre eine methodologisch unnötige Verdoppelung, wenn man das Syntaktische und das Semantische getrennt halten wollte. Denn dann würde man noch einmal erklären, was bereits erklärt worden war. So hat man statt Chomskys syntaktisch fundierter nun eine mehr semantisch begründete Grammatik nach folgendem Schema:

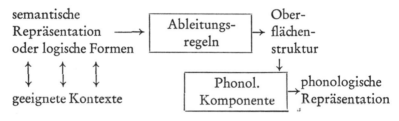

Logische Struktur und Kontext sind interdependent. Somit ist die generative Semantik eine stärker kontextabhängige Grammatik geworden. In dieser können »unterwegs« zur Oberflächenstruktur Elemente eingefügt werden, wie z. B. oberflächenstrukturliche Verben[56]. Hat man anfänglich »geben«/»jemandem etwas geben«/»ich gebe jemandem etwas«, dann ist die Neueinsetzung »er bekommt etwas von mir« möglich. Kennzeichnend aber für die Hauptthese der generativen Grammatik

---

[55] Vgl. *J. McCawley*, The Role 165–166
[56] Vgl. dazu den Beitrag von *P. Postal* (der inzwischen auch die Thesen der generativen Semantik unterschreibt): On the Surface Verb »Remind«, Linguistic Inquiry 1 (1970), 37–120

ist, was G. Lakoff in seinem »Linguistics and Natural Logic« sagt, nämlich daß die Aufgabe der Regeln der Grammatik nicht einfach darin besteht, grammatische von ungrammatischen Sätzen zu trennen, sondern auch die Oberflächenstrukturen der Sätze mit ihren Bedeutungen oder [sic] logischen Formen in Verbindung zu setzen [57], und daß diese Regeln, die sich auf Grammatizität und semantische Interpretation beziehen, identisch sind [58].

Chomsky antwortete mit »Some Empirical Issues in Linguistic Theory« [59], wonach er bei seiner erweiterten Standard-Theorie bleibt. Er minimalisiert die Unterschiede zur generativen Semantik etwas, indem er sie vornehmlich auf die Schreibweise zurückführt oder auf kleine Verschiebungen unter den Komponenten, auch auf unterschiedliche Auffassungen von Syntax und Semantik. Die Erkenntnistheorie unter beiden Modellen sei die gleiche. Von grundsätzlicher Bedeutung sei nur die Lokalisierung des Lexikons.

Es genügt hier zu sagen, daß die Diskussion noch nicht abgeschlossen ist. Die Stelle des Lexikons zu diskutieren, wäre hier sicher zu technisch. Aber daß in der generativen Semantik Bedeutung und logische Form gleichgesetzt werden (wie auch logische und grammatikalische Struktur), soll etwas erläutert werden. Von fundamentaler Bedeutung dafür ist, daß die Tiefenstruktur durch die semantische Repräsentation ersetzt worden ist, die bekanntlich die Instruktionen für die semantische Interpretation enthält. Nun aber müssen solche Instruktionen wenigstens diejenigen Operatoren umfassen, die von den Anhängern der generativen Semantik als Beweis dafür angeführt wurden, daß es keine getrennte semantische Komponente gebe, und die Chomsky dazu veranlaßten, seine Standard-Theorie zu erweitern. Sie werden also die Negation und die Quantifikatoren einschließen müssen: logische Elemente, die sich als notwendige semantische Interpretationsmittel erwiesen. Die semantische Repräsentation scheint also logisch-semantischer Natur zu sein. Dazu kommt noch, daß die semantische Interpretation von bestimmten Annahmen in bezug auf Wahrheitswerte ausgeht. So hat Lakoff darauf hinge-

---

[57] *Lakoff*, Linguistics 155
[58] Ebd. 166
[59] Mimeograph, Indiana University Linguistics Club, Nov. 1970

wiesen, daß der Satz: »Sam weiß, daß Peter ein Deutscher ist«, wenn er wahr ist, voraussetzt, daß Peter tatsächlich ein Deutscher ist. Das gleiche gilt für den Nebensatz im Bericht: »Da er nicht zu Hause war, bin ich weggegangen«, im Gegensatz zu »Er gibt vor, daß er krank ist«, wo impliziert wird, daß er es nicht ist[60]. Die semantische Interpretation operiert also mit bestimmten Voraussetzungen: »presuppositions«. Dieser Begriff wird durch Lakoff definiert als »etwas, das wahr sein muß, damit der Satz wahr oder falsch ist«[61]; er spielt, obwohl er ziemlich unklar ist[62], eine wichtige Rolle in der generativen Semantik. Das bedeutet, daß die Formulierung von Wahrheitsbedingungen Teil der Interpretation geworden ist, was gewöhnlich eine Aufgabe für die Logik war. Für die Theorie der Bedeutung heißt das, daß die Ansicht Goodmans – auf die schon hingewiesen wurde[63] – nun mehr in den Vordergrund tritt. Nur hatte er vornehmlich von Bezeichnung gesprochen, während die neue Theorie von Wahrheitswerten spricht. Aber beide hängen zusammen[64]. Besonders D. Davidson hat diese Theorie ausgearbeitet. Nach ihm ist das Formulieren der Wahrheitsbedingungen eine Weise, um den Sinn eines Satzes auszudrücken. Wenn man weiß, was es für einen Satz heißt, wahr zu sein, versteht man die Sprache[65]. Der Satz wird also nach seiner Übereinstimmung oder Nicht-Übereinstimmung mit den Tatsachen betrachtet, und das heißt, daß die Dimension der Bezeichnung in das Zentrum der Aufmerksamkeit rückt. Aber dies fordert, daß auch die Umstände der Äußerung eines Satzes in Betracht gezogen werden. Es ist denn auch keine Überraschung, wenn man bei Davidson liest, daß Wahrheit (Definitionselement

---

[60] Für derartige Beispiele vgl. *Lakoff*, Linguistics 175–180
[61] *Ders.*, ebd. 175–176. Vgl. dazu *Austin*, How 136
[62] Auch Lakoff scheint mit dem, was er über *presuppositions* in Linguistics and Nat. Logic, 175–194, schrieb, nicht sehr zufrieden zu sein (Brief an H. Parret). P. Seuren hat einen Beitrag über diesen Begriff für Foundations of Language geplant.
[63] Vgl. oben, S. 128
[64] Vgl. *J. Hintikka*, Logic and Philosophy, in: Contemporary Philosophy. A Survey, ed. by *R. Klibansky*, vol. I, Logic and Foundations of Mathematics, Florenz (La Nuova Italia Editrice) 1968, 15
[65] D. *Davidson*, Truth and Meaning, in: Philosophical Logic, ed. by *J. Davis* u. a., Dordrecht (Reidel) 1969, 7

für die Satzbedeutung) eine Eigenschaft nicht von Satzinhalten, sondern von Äußerungen oder [sic] Sprechakten ist[66]. Und so werden Sprecher und Zeit in die Wahrheitsbedingungen und somit in die Linguistik eingeführt. Für ihn ist Wahrheit eine Beziehung zwischen einem Satz, einer Person und einer Zeit. So ist »Ich bin müde« – virtuell durch eine Person P zur Zeit Z geäußert – dann und nur dann wahr, wenn P zur Zeit Z müde ist. Wenn die Sprachwissenschaft diese Bedeutungstheorie übernimmt (und die Anzeichen sprechen dafür, wie bereits aus der obigen Darstellung folgt), kommt sie Austins Theorien nahe. Nach ihm ist Wahrheit nicht eine Einzelfrage, sondern eine ganze Dimension der Kritik. Sie umfaßt die Tatsachen, aber auch die Situation des Sprechers, den Redezweck, die Hörer usw.[67] Ob z. B. der Satz »Frankreich ist sechseckig« wahr ist oder falsch, kann man nicht mit einem einfachen »Ja« oder »Nein« beantworten. Es hängt davon ab, von wem und mit welchem Zweck dieser Satz geäußert wurde. Bei einer Doktorprüfung in der Geographie wäre er wohl falsch, aber für eine populäre Darstellung könnte er richtig und wahr sein.

Indessen ist die Theorie Davidsons innerhalb einer sprachwissenschaftlichen Methodologie nicht leicht anzuwenden, weil sie nur auf Tautologien hinausläuft. Für ihn ist der Satz »Schnee ist weiß« dann und nur dann wahr, wenn Schnee weiß ist. Es ist hier eine formalisierte und ausgearbeitete Theorie vonnöten. Diese wurde indessen im Umriß durch R. Montague[68] geliefert, aber seine Texte sind sehr schwer zu erhalten. Eine Kenntnisnahme seiner Gedanken ist jedoch durch eine neuere Veröffentlichung: »Pragmatics and Intensional Logic«[69] möglich geworden. Der Titel dieses Aufsatzes ist aufschlußreich, haben wir doch im ersten Kapitel gesehen, daß »Pragmatics« die Einbeziehung von Sprecher und Hörer in die Zeichentheorie bedeutet. Und dies ist tatsächlich die gegenwärtige Lage in der von Chomsky beeinflußten Sprachwissenschaft. Man kann sich darüber streiten, ob jetzt auch de Saussures

---

[66] Ebd. 16
[67] *Austin*, Performatif-Constatif 281
[68] Namentlich in: English as a Formal Language, I und II, Mimeograph UCCLA, 1968
[69] Synthese 22 (1970–71), 68–94

»parole« in die wissenschaftlichen Betrachtungen eingeführt wird oder eingeführt werden sollte. Aber jedenfalls wird jetzt dem kommunikativen Charakter der Sprache zumindest innerhalb der »langue« besondere Aufmerksamkeit gewidmet. In diesem Zusammenhang werden dann auch die performativen Äußerungen linguistisch gewertet.

4. Generative Semantik und performative Äußerungen

Fassen wir überleitend den Standpunkt der generativen Semantik noch einmal zusammen. Diese Grammatik postuliert als tiefste zugrunde liegende Struktur (*underlying structure*) eine semantische Repräsentation, und diese impliziert »Voraussetzungen«, die als maßgebend für die möglichen Wahrheitswerte aufgefaßt werden. Nun aber ist deutlich, daß es für die Wahrheitsbedingungen entscheidend ist, ob ein Satz z. B. als Befehl oder als eine Behauptung verstanden werden sollte. Denn ein Befehl setzt voraus, daß das Befohlene noch nicht der Fall ist, also noch nicht wahr ist. Deshalb wohl wird es sogar als kennzeichnend für die generative

1) Semantik betrachtet, daß die erste Konstituentenregel folgende Form hat:

$$S \rightarrow \text{mod.} (S_1)$$

»Mod.« steht hier für einen modalen Operator im weitesten Sinne, weil er nämlich auch performative Verben umfassen kann.

2) Ein zweites – diesmal ausdrücklich als solches gekennzeichnetes – Motiv für die Annahme performativer Phrasen in der zugrunde liegenden Struktur liegt darin, daß dann bestimmte Erscheinungen in der Oberflächenstruktur eine einheitliche Erklärung erlangen. Ein bekanntes Beispiel dafür ist das reziproke Fürwort in Befehlen wie »Erkenne dich selbst!« Das Reflexiv ist nur mit einem getilgten »du« erklärbar. Chomsky kann dafür aber keine möglichst allgemeine Erklärung geben, solange er den Transformationen eine bedeutungsändernde Rolle abspricht. Aber wenn man eine performative Phrase in der Tiefenstruktur postuliert, kann man auf unseren Fall eine allgemeine Regel anwenden, die

besagt, daß das Subjekt des Nebensatzes getilgt werden darf, wenn es identisch ist mit dem Subjekt (wie bei »Versprechen«) oder indirektem Objekt (wie bei »Befehlen«) des Hauptverbs[70]. Unter »Erkenne dich selbst« wäre demnach eine Konstituentenstruktur wie »Ich befehle dir, du erkennst dich selbst« anzunehmen. Der Vorteil dieser Art Erklärungen ist, daß sie bereits für die Tilgung eines Pronomens 2. Person in Sätzen wie »Ich bitte dich aufzuhören« angenommen wurde[71].

Ein drittes Motiv, performative Phrasen in der Tiefenstruktur 3) anzunehmen, besteht darin, daß auf diese Weise auch mehr inhaltliche (wenn man will: semantische) Erklärungen möglich werden. Zwar hatte Chomsky schon 1957 gesagt, daß man in die Konstituentenregeln auch »deklaritive Sätze« oder »Imperative« eingeben könnte[72], aber seine Grammatik war von ihm zu syntaktisch aufgefaßt worden, um diese Bemerkung auszuarbeiten. Dies geschah erst einigermaßen in der Theorie von Katz und Postal, die Operatoren für Befehle und Fragen einführten *(question formatives)* und diese sogar für inhaltliche Erklärungen benützten. Es ist nach ihnen zum Beispiel nicht normal, in bestimmten Sätzen das Wort »vielleicht« anzuwenden. »Gehorche vielleicht« ist ebenso ungrammatisch wie »Ich befehle dir, vielleicht nach Hause zu gehen«. Dies sei durch die Anwesenheit eines Imperativ-Operators zu erklären[73]. Man kann sich aber fragen, inwiefern eine solche Erklärung in eine Theorie paßt, in der das Semantische und das Syntaktische getrennt sind. Aber in der generativen Semantik wurde diese Trennung überwunden, und so konnten mit performativen Phrasen inhaltliche Erklärungen für »syntaktische« Erscheinungen gegeben werden, wie aus dem folgenden Beispiel ersichtlich ist[74]:

ungrammatisch: »Beeile dich, um den Zug zu erreichen«.
grammatisch: »Beeile dich, damit du den Zug erreichst«.
grammatisch: »Ich beeile mich, um den Zug zu erreichen«.

---

[70] Es ist dies die Regel der »equi-NP-deletion«.
[71] Vgl. *McCawley*, The Role 156
[72] *Chomsky*, Synt. Struct. 29
[73] *Katz/Postal*, Integrated Theory (vgl. Anm. 47) 76–78
[74] O. *Leys*, Die Präpositionalinfinitive im Deutschen, Leuvense Bijdragen 60 (1971), 42

Die Erklärung für die Ungrammatizität des ersten Satzes liegt darin, daß ein Zweck nicht befohlen werden kann, während ich aber einen Zweck dabei haben werde, wenn ich jemandem etwas befehle. So fällt »damit« nicht unter den Bereich von »beeilen«, sondern von einem tieferliegenden »ich befehle dir«. Es heißt hier also etwa: »Ich befehle dir, damit du den Zug erreichst: beeile dich!« Weil das Wort »um« die Identität der Fürwörter voraussetzt und ich nur anderen, nicht mir selbst, Befehle erteile, wäre »um« im ersten Satze ungrammatisch.

So haben die Strukturbäume in der generativen Semantik etwa folgende Gestalt:

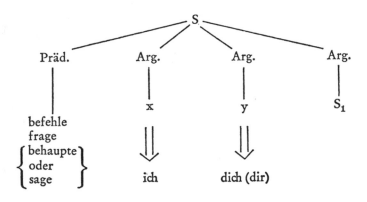

Diese Terminologie Lakoffs[75] lehnt sich an die der Logik an. Denn da wird ein Operator (oder Funktor) sehr weit als ein Prädikat[76] definiert. »Arg.« steht für »Argument«, das bekanntlich einen Ausdruck meint, der durch einen Operator näher bestimmt wird[77]. Das oben Gesagte, daß nämlich ein Strukturbaum methodologisch der Einklammerung gleichzusetzen ist, wird dadurch

---

[75] *Lakoff*, Linguistics 166
[76] Vgl. *I. M. Bocheński* und *A. Menne,* Grundriß der Logistik, Paderborn (Schöningh) ²1962, 19: »Ausdruck, der einen anderen Ausdruck (oder mehrere Ausdrücke) näher bestimmt. Zum Beispiel: ›schönes‹, ›gern‹, ›liebt‹, ›es ist nicht wahr, daß‹.« Der Name »Prädikat« ausdrücklich in *Bocheński,* Précis de logique mathématique, Bussum (Kroonder) 1949, 10, unter Hinweis auf Quine. Vgl. Anm. 4
[77] *Bocheński/Menne,* ebenda 19

illustriert, daß Lakoff in einer Fußnote zu diesem Schema bemerkt: »Ich werde hierarchische Strukturen wie diese als gleichbedeutend mit Ausdrücken wie ›befehle (x,y,S₁)‹ betrachten.« Nur hätte er dann aber die Abhängigkeit der Argumente hinsichtlich des Prädikats durch Knoten ausdrücken sollen, etwa wie im folgenden Schema:

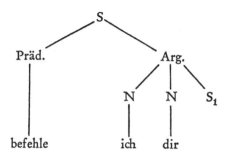

Oder vielleicht besser (weil so die Tatsache, daß S_1 von »Ich befehle dir« als Ganzem abhängt, ausgedrückt wird):

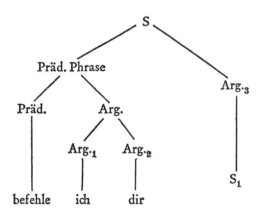

In diese Richtung geht auch J. Ross, der sich terminologisch mehr an die Standard-Theorie anschließt und den Satz »Die Preise sanken« auf folgende Weise strukturiert[78]:

---

[78] *J. Ross*, On Declarative Sentences 224

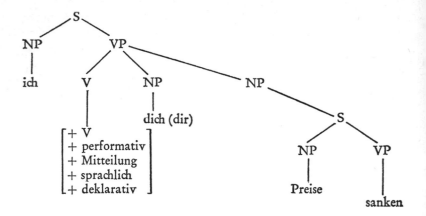

Man wird in Ross' Eintragung für das Hauptverb leicht den »semantic marker« von Katz und Postal erkennen. Man erinnere sich an unsere Analyse von »Gott«, »erschaffen« und »Welt«. Das Zeichen »+« deutet bei diesen Autoren die Anwesenheit eines semantischen Merkmals an, »–« seine Abwesenheit. McCawley hat vorgeschlagen, Ross' semantische Struktur durch ein konkretes Verb zu ersetzen. Er argumentiert, daß man nur so erklären kann, warum bestimmte performative Verben erst bei »hiermit« in der Oberflächenstruktur erscheinen können[79]: Zum Beispiel bedeutet »Ich schließe das Büro« weniger als »Hiermit schließe ich das Büro«. Die semantische Struktur wäre also zu ersetzen durch Verben wie »sagen« oder »befehlen«, so wie es Lakoff tatsächlich getan hat.

Viel einfacher ist die Konstituentenstrukturbeschreibung von J. Searle[80], der sich sehr eng an Austin anschließt. Dieser hat, wie oben erwähnt, die lokutionäre Kraft als die Bedeutung des Satzes beschrieben. Dieser Begriff wurde von ihm nicht weiter analysiert; nur soll sie aus einer Bezeichnung (reference) und einem Bedeutungselement (sagen wir Prädikat) bestehen[81]. Den Sinn des Satzes erfaßt man aber nur, wenn man auch seine illokutionäre Kraft (force) kennt. Demgemäß schreibt Searle: F (RP), wobei

[79] McCawley, The Role 157; auch Austin hat das bemerkt; vgl. How 61 und Performative Utterances 230
[80] Searle, Speech Acts 32
[81] Austin, How 92–93 und 148

RP auch durch ein p ersetzt werden kann. Dabei ist zu beachten, daß das, was jetzt »Prädikat« heißt (nämlich das grammatische Prädikat), nicht identisch ist mit dem, was Lakoff »Prädikat« (nämlich das logische Prädikat) genannt hat. Nach Lakoffs Theorie würde man Searles F als Prädikat bezeichnen. So einfach die Analyse von Searle auch ist, so erlaubt sie doch bereits, den Unterschied zwischen einer lokutionären und einer illokutionären Negation auszudrücken, z. B. in: »Ich verspreche dir nicht zu kommen«, nämlich mittels F ($\neg p$) und $\neg$ F (p), wobei »$\neg$« die Negation bedeutet.

Welche Schreibweise man wählt, wird gewöhnlich davon abhängen, was man erklären will und wie man es am bequemsten macht. Eine ziemlich komplizierte Strukturbeschreibung wird notwendig sein für Fragen wie »Soll ich das Fenster schließen?«, *wenn* man die Frage als eine Bitte um Antwort auffaßt. Denn dann könnte die Tiefenstruktur etwa so aussehen: »Ich bitte Sie, daß Sie mir sagen, ob er mir befiehlt (oder: ob Sie mir befehlen), daß ich das Fenster schließe«[82]. Es kann sogar sein, daß man mehrere performative Phrasen in der Tiefenstruktur braucht, wie J. Staal gezeigt hat[83]. Man beachte aber, daß es sich dabei um Satzgefüge handelt wie: »Hunde bellen, was ziemlich langweilig ist«. Man kann dabei, um die Strukturbeschreibung einfach zu halten, die Strukturbäume durch ein $\triangle$ ersetzen, und erzielt dann eine mögliche Analyse, die man der Zeichnung auf Seite 146 entnehmen möge.

Der Leser sollte sich aber einige Fragen stellen, wenn er sieht, daß Staal ohne Bedenken die folgende Alternative vorschlägt[84] (vergleiche Zeichnung Seite 147).

Man könnte sich die wichtige Frage stellen, ob man es hier mit zwei Sprechakten zu tun hat. Aber dies kann erst entschieden werden, wenn das Verhältnis zwischen Satzbedeutung und Absicht des Sprechers diskutiert ist. Vorläufig wird die Frage genügen, ob performative Verben nicht aufhören, performativ zu sein,

---

[82] Vgl. *J. Boyd* und *J. P. Thorne*, The Semantics of Modal Verbs. Journal of Linguistics 5 (1969) 61
[83] *J. Staal*, Performatives and Token-Reflexives, Linguistic Inquiry 1 (1970), 373–381
[84] Ebd. 378

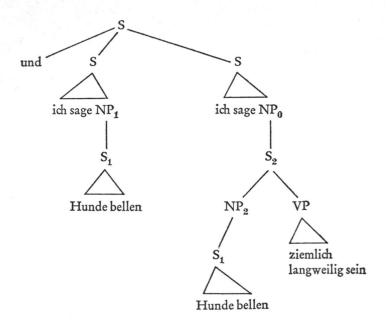

wenn sie »eingebettet« werden. Tatsächlich hat Ross darauf hingewiesen, daß performative Verben nie einer anderen Verbalphrase unterstehen können. Er führt dafür an, daß »ich verspreche dir, heute abend da zu sein« aufhört, ein Versprechen zu sein, wenn es zu »ich gebe zu, daß ich verspreche, heute abend da zu sein« umformuliert wird. Eine linguistische Bestätigung dafür ist, daß in der zweiten Formel »verspreche« nicht mehr von »hiermit« begleitet werden kann[85]. Auch Austin hatte übrigens auf diese Rolle von »hiermit« verwiesen, und im allgemeinen schließt sich die Auffassung von Ross an die Definition performativer Verben an, insofern deren Äußerung nach Austin nicht die Handlung beschreibt, sondern (unter bestimmten Bedingungen) die Handlung (nämlich der Sprechakt) ist. Nennen wir diesen Aspekt »Performativ$_1$«. Wir dürfen dann annehmen, daß im zweiten Schema Staals das von der NP$_0$ dominierte »ich sage« nicht performativ$_1$ ist. Aber nach Austin haben performative Verben noch einen zweiten Aspekt, nämlich, daß sie Andeutungen der illoku-

---

[85] J. Ross, On Declarative Sentences 251–252 und 255

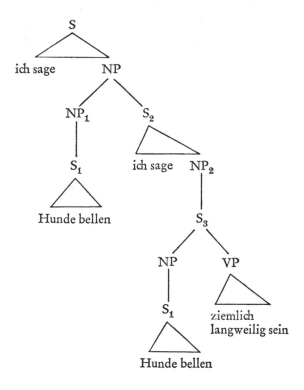

tionären Kraft sind, oder, wie er sagt: Andeutungen, wie wir die Sprache gebrauchen. Diesen Aspekt werde ich mit »Performativ$_2$« bezeichnen, wobei das Performative$_2$ noch explizit (»ich verspreche«) oder implizit sein kann (das Element, wodurch der Satz zu Recht als ein Versprechen aufgefaßt wird). Die Frage wird dann sein, ob eine Betrachtung des Performativen$_2$ möglich ist, ohne daß man dem Performativen$_1$ besondere Aufmerksamkeit widmet. Nun scheint dies tatsächlich möglich zu sein. Denn ein Versprechen wird dadurch als Performativ$_1$ gekennzeichnet, daß man mit ihm eine soziale Verpflichtung auf sich nimmt (unter der Voraussetzung, daß das Versprochene vom Hörer gewünscht wird, vgl. unten). Aber das ist eine Sache, die die Sprachwissenschaftler gern den Philosophen überlassen. Linguisten sind an der Bedeutung interessiert, insofern es sich um strukturelle Beziehungen und Wahrheitswerte handelt, und der Rahmen der letzteren wird durch das Performativ$_2$ angegeben. So wird denn auch von

Lakoff »performativ« (engl.: »performative«) als »Andeutung der illokutionären Kraft« definiert. Dagegen scheint Ross von Performativen$_1$ zu sprechen. So sagt er einmal, daß man unter den Sätzen in Zeitungen oder Handbüchern kein performatives Verb anzunehmen habe[86], obwohl es doch klar ist, daß die Leser wissen sollten, wie sie die Sätze in ihrem Tageblatt aufzufassen haben (Performativ$_2$). Die Zeitung ist keine Situation der persönlichen Kommunikation, solange der Redakteur nicht Sätze benützt wie »Stellen sie sich mal vor«. Aber auch unter seinen unpersönlichen Sätzen gibt es Annahmen bezüglich der Wahrheitswerte.

Indessen scheint es mir notwendig zu sein, noch einen Schritt weiter zu gehen: sogar in der generativen Semantik wird nicht einmal vom Performativ$_2$ die Rede sein. Denn grammatisch ist es gleich, ob der Satz »Heute abend werde ich da sein« von meiner Frau oder von einem Henker geäußert wird, obwohl es nur im ersten Fall ein Versprechen sein kann[87]. Die Wahrheitsbedingungen sind aber in beiden Fällen gleich, nämlich diejenigen einer Behauptung für die Zukunft. So scheinen wir wieder bei Freges Urteilsstrich angelangt zu sein, der nur bedeutet, daß der Satz in einem gegebenen System gilt. Der Satz »⊢ S« beinhaltet zwar etwas mehr als nur einen Satzinhalt an sich (»Der Satz *zeigt*, wie es sich verhält, *wenn* er wahr ist«); der Satz hat zudem die Kraft einer Behauptung (»Und er *sagt, daß* es sich so verhält«)[88]. Aber man könnte hier doch nur in einem sehr beschränkten Sinn von »Kommunikation« oder von »illokutionärer Kraft« sprechen. Der Eindruck, daß man solche Satzoperatoren vielleicht doch besser als lokutionär betrachtet, wird verstärkt durch die Tatsache, daß Chomsky 1957 vorschlug, das »Input« als »deklarativer Satz«, »Imperativ« usw.[89] zu benennen, wonach also bereits die erste Konstituentenregel lauten würde: S → deklar. (S$_1$) oder S → imp (S$_1$). Auch scheinen folgende drei Sätze gewissermaßen äquivalent zu sein, nämlich »Ich denke, daß es morgen regnen wird«, »Meines Erachtens wird es morgen regnen« und »Wahr-

---

[86] Ebd. 252
[87] Es wird dabei angenommen, daß der Henker als Henker redet, und nicht z. B. als Ehemann.
[88] *Wittgenstein*, Tractatus 4.022.
[89] *Chomsky*, Synt. Struct. 29. Vgl. aber oben Anm. 32

scheinlich (oder: vielleicht) wird es morgen regnen«: Sätze, die sich der modallogischen Formulierung nähern, obwohl sie doch Austins »verdictives« und somit den Performativen gleichen [90]. Alles hängt nur davon ab, inwiefern lokutionäre und illokutionäre Kräfte zusammenhängen und inwiefern dieses Zusammenhängen systematisierbar ist. In einer Sprechsituation, wo Herr Müller den Johann nicht empfangen will, läßt er das Mädchen sagen, er sei nicht zu Hause. Und Johann weiß, wie er dies zu verstehen hat. Die lokutionäre Bedeutung (durch einen Satzoperator mitbestimmt, nämlich als Behauptung) ist hier zwar in etwa die Basis für die illokutionäre Kraft (wenn Müller nicht da ist, kann er niemanden empfangen). Aber es gibt hier doch ein Element der willkürlichen Konvention. Denn das gleiche könnte man erreichen, wenn man sagt: »Herr Müller ist schwer krank«, doch das tut man gewöhnlich nicht. So kann man nur für eine Teilmenge der illokutionären Kräfte sagen, daß sie virtuell mit der lokutionären Kraft gegeben sind. Der Satz »Ich werde heute abend da sein«, der lokutionär die Wahrheitswerte einer Behauptung über die Zukunft hat, kann das illokutionäre Potential des Versprechens, der Drohung oder des Vorhersagens haben. Man muß also einen Unterschied machen zwischen illokutionärer Kraft und illokutionärem Potential [91]; letzteres gehört zur lokutionären Kraft. In dem Sinne hatte Wittgenstein es wohl gemeint, als er wiederholt betonte, daß die Bedeutung in der Verwendung der Sprache liege. Dies bezieht sich auf die möglichen Verwendungen in den verschiedensten Situationen. Wissen, wie ein Satz gebraucht werden kann, heißt dann tatsächlich, seine Bedeutung kennen. Wenn in der Linguistik von Performativen oder von illokutionären Operatoren gesprochen wird, kann es wohl nur im Sinne des illokutionären Potentials sein. Wenn es anders wäre, würde man die Lexikalität zum grammatischen Prinzip erheben. Denn es scheint doch ungefähr so viele Sprechakte zu geben, wie es performative Verben gibt. Bejahen, feststellen, klassifizieren, be-

---

[90] Vgl. *Austin,* How 152

[91] Ansätze zu diesem Unterschied findet man bei *Boyd* und *Thorne* (vgl. Anm. 82) 58, *R. Arbini,* How to be Unfair to First-Person Statement-Introducing Utterances (Foundations of Language 3 [1967]), 256, und *E. von Savigny,* Philosophie d. n. Spr. 160–162.

schreiben, verneinen, schwören, (nur) sagen, rapportieren, bemerken, zugeben, bezeugen, anerkennen, revidieren, wissen, bezweifeln, postulieren, ableiten, erklären, betonen, unterscheiden, betrachten als und meinen – um nur einige Beispiele zu nennen – können als verschiedenartige Sprechakte, also als in illokutionärer Kraft verschieden betrachtet werden. Aber für die Sprachwissenschaft wäre es wohl kaum wünschenswert, für jedes Verb dieser Liste ein anderes Operatorsymbol aufzustellen. Linguistisch können sie tatsächlich alle auf »Behauptung« oder »⊢ S« zurückgeführt werden, das heißt: auf ihre mit der lokutionären Kraft gegebenen Wahrheitsbedingungen. Austin hat etwas Ähnliches getan: er nannte alle diese Verben »expositives«[92]. Aber er realisierte nicht, daß er somit auf eine neue Kategorie (Performativ₃) stieß.

So scheint mir in der generativen Semantik nicht von der illokutionären Kraft, sondern von einem bestimmten Aspekt der lokutionären Kraft, den man das illokutionäre Potential nennen kann, die Rede zu sein. Wenn man die Bedeutung von »Performativ« so weit ausdehnen will, daß es auch für »illokutionäres Potential« stehen kann, so ist das eine Sache der Konvention (oder wie man in der Logik sagt: der stipulativen Definition). Man könnte es dann besser »Performativ₃« nennen. Eine ähnliche Beschränkung gibt es auch in der Wortbedeutung. Man kann sich in einem Worte vieles denken. Wenn es z. B. das Merkmal »beseelt« enthält, kann man assoziieren, daß das Lebewesen wachsen kann, Nahrung braucht, eine bestimmte Temperatur hat. Dies alles gehört zum semantischen »Inhalt« des Wortes. So ungefähr scheint auch Bloomfield »Bedeutung« verstanden zu haben. Aber die meisten Linguisten nehmen an, daß die Wortbedeutung aus denjenigen semantischen Merkmalen besteht, die zusammen die notwendige und genügende Bedingung dafür sind, daß das Wort erfolgreich angewandt werden kann. Und dann wird die Temperatur usw. (in unserem Beispiel) nicht zur Wortbedeutung gehören. Sonst wäre ja auch die semantische Struktur (vgl. J. Katz) unendlich.

Es scheint indessen während unserer Betrachtung alles, was uns dem Ziel näherbringen könnte, verlorengegangen zu sein. Wir

---

[92] *Austin,* How 160–162

wollten zeigen, daß die Sprachwissenschaft die philosophische These von Ramsey und Austin unterbaut, nach welcher der Sprecher nicht aus seiner Sprache wegzudenken ist, auch wenn es sich dabei um Sätze in der 2. oder 3. Person handelt. Wir gingen von der These aus, die Linguistik erkenne jetzt doch auch performative Phrasen in der Tiefenstruktur. Und es ergab sich, daß die Linguisten mit dem gleichen Wort (Performativ) etwas anderes meinen, nämlich modale Funktoren lokutionärer Natur, die einen Bruchteil der Verwendungsmöglichkeiten bestimmen. Man könnte diesen Operatoren des illokutionären Potentials höchstens die Gestalt eines »ich sage dir« oder »ich befehle dir« beimessen, denn das würde bestimmte semantisch-syntaktische Phänomene erklären[93]. Aber auch dann handelt es sich nur um ein logisches Subjekt, nicht um das »Ich« in einer wirklichen Kommunikationssituation. Und von dem sollte doch in einer Philosophie oder Theologie der religiösen Sprache die Rede sein.

Dennoch könnten die bisher gegebenen linguistischen Betrachtungen einen Gewinn für unsere Sprachphilosophie bedeuten. Dies wird man am besten entscheiden, wenn versucht wird, mit den neu erworbenen linguistischen Instrumenten die Probleme Austins einer Lösung etwas näherzubringen.

5. Klärung einiger Probleme Austins

Eines der schwierigsten Probleme für Austin bestand wohl darin, daß performative Sätze nicht wahr oder falsch, sondern gelungen oder nicht gelungen sein können, trotzdem aber der Satz »ich behaupte, daß es regnet«, obwohl performativ, falsch sein kann[94]. —

[93] Oben haben wir Beispiele solcher Erklärungen (z. B. des Imperativs) gesehen. Noch viele andere findet man in Ross (On Declarative Sentences) und Lakoff (Linguistics). Es ist hier nicht der Ort, auf die Beweiskraft solcher Beispiele einzugehen. Die Diskussion hat ihre Aktualität auch etwas verloren, da jetzt in der erweiterten Standard-Theorie die Möglichkeit besteht, die Performative in die Grammatik zu inkorporieren. Dies verstärkt übrigens nur unsere These, daß die moderne Linguistik ein »ich« in der zugrunde liegenden Struktur annimmt oder annehmen kann.

[94] Vgl. *Austin*, How 91 und 132–148, im Gegensatz vielleicht zu Other Minds

Nach Austin wäre der Satz »Ich teile mit, daß er es nicht getan hat« gleichbedeutend mit »Er hat es nicht getan«[95]. Dies scheint mir etwas irreführend zu sein, was deutlicher wird, wenn wir ein weniger neutrales Verb nehmen (liegt »feststellen« oder »mitteilen« nicht fast immer in der Tiefenstruktur?). Vergleichen wir »Ich gebe zu, daß ich zu spät kam« mit »Ich kam zu spät«. In der konkreten Situation wird es für den Sprechakt (Performativ$_1$) ungefähr gleich sein, welche von beiden Formeln man wählt. Im ersten Satz ist die illokutionäre Kraft der Formel »ich kam zu spät« explizit (Performativ$_2$). Beide Aspekte (Performativ$_1$ und $_2$) sind, wie Strawson es ausdrückt, »audience-directed«, das heißt einer Hörerschaft zugewandt[96]. Das Performativ$_2$ (im ersten Satz) informiert sie darüber, unter welchen Wahrheitsbedingungen der Satzteil »ich kam zu spät« verstanden werden soll. Auf der Ebene des Performativs$_3$ sind die beiden Sätze nicht äquivalent, weil im ersten Satz das illokutionäre Potential bereits spezifiziert worden ist: der Satz kann nur im Zusammenhang mit einer Entschuldigung gebraucht werden. Das illokutionäre Potential (Performativ$_3$) gehört zur logischen Form der lokutionären Kraft. Es soll darum nicht mit Performativ$_1$ oder $_2$ identifiziert werden, denn die lokutionäre Kraft ist »topic-directed«, das heißt: bezieht sich auf einen (möglichen) Sachverhalt. Die Wahrheitsfrage stellt sich nicht bei Performativen$_1$: hier handelt es sich eher um Authentizität, Aufrichtigkeit, konventionelle Basis, Autorität usw. Bei Performativen$_2$ hängt es davon ab, welche Information der Hörer sich wünscht. Geht es ihm darum, zu wissen, wie ich meinen Satz meine oder gemeint habe, dann wird das Geständnis Objekt der Affirmation. Geht es aber darum, daß er weiß, warum ich nicht anwesend war, dann geht es um die Formel »(daß) ich zu spät kam«, und deren Wahrheitsrahmen wird durch »Ich gebe zu« mit-gegeben. Im ersten Falle würde »Ich gebe zu« zur lokutio-

---

71. In Performatif-Constatif 279 sagt Austin: »Ici je ne peux plus sonder ce mystère.«
95 *Austin*, How 134
96 *P. Strawson*, Intention and Convention in Speech Acts, in: Symposium on J. L. Austin, ed. by *K. T. Fann*, London (Routledge) 1969, 380–400. Vgl. dazu *M. Furberg*, Meaning and Illocutionary Force (im gleichen Symposium), 449–452, und *R. Arbini*, How to be Unfair (vgl. Anm. 91), 255

nären Kraft gehören (also Inhalt des Satzes sein und nur indirekt den Wahrheitswert des eingebetteten Satzteiles bestimmen), im zweiten nicht. Nur auf der Ebene der lokutionären Kraft befindet sich die Bedeutung (die Menge der Wahrheitswerte). Die illokutionäre Kraft ist so etwas, wie den Hut abnehmen, wenn ich jemanden, mich verbeugend, grüße: da gilt nicht das Wahr- oder Nichtwahr-Sein. Aber wenn jemand vermutet, daß ich den Hut vielleicht nur aus Versehen abgenommen habe (und mich verbeugte, um meine Schuhe zu inspizieren), könnte ich die illokutionäre Kraft meines Verbeugens zum Objekt einer Behauptung machen und sagen »Nein, ich habe meinen Hut bewußt abgenommen«[97]. In diesem Fall, wo die explizitierte illokutionäre Kraft Objekt der Behauptung ist, hört sie auf, Modaloperator des Satzes zu sein. Diese Funktion wird von einem neuen Operator in der Tiefenstruktur (wie »Ich sage dir, daß«) übernommen. Wenn aber »Ich gebe zu« in »Ich gebe zu, daß ich zu spät kam« nicht Objekt der Behauptung ist, sondern andeutet, wie »Ich kam zu spät« verstanden werden soll (also Performativ$_2$ ist), wird dem ganzen Satz kaum eine performative$_3$ Phrase in der Tiefenstruktur vorangehen.

Hier möchte ich übrigens mit Austin sagen: »Ici je ne peux plus sonder ce mystère«[98], wie überhaupt meine Theorie der Wahrheitswerte performativer Aussagen nur ein Versuch zur Klärung, nicht einmal zur Lösung der Probleme sein kann. Sie ist ein Vorschlag, ein Anbieten methodologischer Instrumente, keine dogmatische Antwort. Denn bekanntlich ist noch keiner, der sich dieser Problematik widmete, mit heiler Haut davongekommen[99]. Vielleicht habe ich zu wenige oder vielleicht auch zu viele Unterschiede gemacht. Es ist z. B. fraglich, ob die Performative$_1$ und $_2$ *verschiedene* Aspekte am Sprechen sind. Denn wie kann ich etwas versprechen (Performativ$_1$), wenn der Hörer nicht begreift, daß

---

[97] Austin benützte das Beispiel des Hutes, um die illokutionäre Kraft zu verdeutlichen: Performative Utterances 232–233.
[98] »Hier kann ich das Geheimnis nicht mehr peilen.« *Austin,* Performatif-Constatif 279
[99] Es ist mir aufgefallen, wie auch Lakoff anfängt zu zögern, wenn es um das Verhältnis zwischen: »Er realisiert, daß S« und: »S«, geht: Linguistics 192–193.

es sich um ein Versprechen handelt? Wenn die illokutionäre Kraft explizit ist (»Ich verspreche«), ist die Gefahr des Mißverständnisses nicht so groß; aber wenn die illokutionäre Kraft (Performativ$_2$) nur implizit mit den Umständen der Äußerung gegeben ist (Austins »primäre Performative«), ist die Aussage von Fehlern durch Unbestimmtheit, Undeutlichkeit und durch Falsch-verstanden-Werden bedroht[100]. Es scheinen mir aber verschiedene, jedoch organisch verbundene Aspekte zu sein. Denn Umstände und Konventionen (Performativ$_2$) realisieren eine Intention (Performativ$_1$), die qua sprachlich Modaloperatoren wie »Satz«, »Befehl«, »Frage« (Performativ$_3$) untersteht: untrennbare Elemente in einer philosophischen Bedeutungstheorie.

Austin hat bekanntlich keine Theorie der Bedeutung ausgearbeitet. Für ihn besteht Bedeutung aus »Sinn« (wahrscheinlich als eine Art Prädikat aufzufassen) und »Bezeichnung« zusammen[101]. Er gestand, daß er »sense and reference« im geläufigen Sinne übernahm[102]. Weil dieser Ausdruck stark an eines der übersetzten Werke Freges erinnert, liegt die Vermutung nahe, daß er sich an Freges Auffassung anschloß. Austin gab auch zu, daß im Lichte der Unterscheidung zwischen lokutionärer und illokutionärer Kraft diese Bedeutungstheorie wahrscheinlich revidiert werden müsse. Dies könnte tatsächlich der Fall sein. Denn wenn Austin mit dem Begriff des Sprechakts die Aufmerksamkeit auf den lebendigen und realen Sprecher gelenkt hat, scheint es eine natürliche Sache zu sein, die Intention oder Absicht des Sprechers (das heißt: was der Sprecher meint) in die Theorie der Bedeutung einzubeziehen. Wenn das Mädchen den Johann wegschickt mit »Herr Müller ist nicht zu Hause«, scheint diese Absicht doch zur Bedeutung des Satzes zu gehören. Man erinnere sich, daß nach der Ethik ein Akt durch die Intention des Handelnden konstituiert wird. Warum sollte das nicht vom Sprechakt gelten? In diesem Geiste wurde von Grice 1957 eine Theorie der Bedeutung entwickelt[103]. Demnach wird »Person P meinte etwas mit x« ver-

---

[100] Vgl. dazu E. von Savigny, Philosophie d. n. Spr. 142–145
[101] Austin, How 93
[102] Ebd. 148
[103] H. P. Grice, Meaning. Vgl. Anm. 19. Es handelt sich hier um die sogenannte nicht-natürliche Bedeutung, also nicht etwa um »Wolken bedeuten Regen«.

standen als »P beabsichtigte, daß die Äußerung von x einen gewissen Effekt in einem Hörer H erziele mittels H's Erkenntnis dieser Absicht«. So wird auch »x bedeutete etwas« dem Satz »Jemand meinte etwas mit x« gleichgesetzt. Es ist dabei in unserem Zusammenhang aufschlußreich, wenn Grice hinzufügt, daß linguistische Absichten eben nicht sehr von nicht-linguistischen Intentionen verschieden sind[104]. Stampe hat die Transformationsgrammatik benützt, um zu zeigen, daß »x bedeutet y« analysiert werden kann als »Mit x meint der Sprecher y«. Dieser Satz wurde dann wieder durch Davis paraphrasiert als »Der Sprecher benützt x, um (die Bedeutung von) y auszudrücken (oder um y zu meinen)«[105]. Die Paraphrase sei erlaubt, weil beide Sätze die gleiche Tiefenstruktur haben, was sich aus der Tatsache ergibt, daß sie den gleichen Selektionsbeschränkungen unterworfen sind. Man kann z. B. nicht »neunundneunzigmal pro Tag« in »Mit x meint der Sprecher y« einfügen. Das gleiche gilt von »Der Sprecher benützt x, um y auszudrücken«. In dem bereits zitierten Artikel Strawsons wurde Grices Auffassung übernommen, um eine Theorie des Verstehens aufzubauen. Nach Strawson versteht ein Hörer die illokutionäre Kraft einer Äußerung, wenn er die komplexe und wesentlich zuzugebende Intention des Sprechers versteht.

Die durch Grice inspirierten Theorien sind naturgemäß sehr dazu geeignet, dem Handlungscharakter des Sprechens gerecht zu werden. Das hat auf seine Weise auch Wittgenstein versucht, als er den Begriff der Sprachspiele einführte: »Das Wort Sprach*spiel* soll hier hervorheben, daß das *Sprechen* der Sprache ein Teil ist einer Tätigkeit oder einer Lebensform«[106]. In Bloomfields Theorie ist die Sprache wie ein verlängerter Arm: statt selber den Apfel zu pflücken, kann man mittels der Sprache einen anderen

---

[104] Ebd. 257–259
[105] *D. W. Stampe*, Toward a Grammar of Meaning, The Philosophical Review 72 (1968), 137–174. Der Autor spricht von einem *agent* (»By x Agent means y«), was ich der Einfachheit halber mit »Sprecher« übersetze (das gleiche gilt vom Aufsatz Davis'). *St. Davis*, Meaning and the Transformational Stew, Foundations of Language 6 (1970), 67–88: »Agent uses x to mean y«. Die Lage wird kompliziert durch die Tatsache, daß »to mean« sowohl mit »meinen« als mit »bedeuten« übersetzt werden kann. Ich habe also eine Wahl treffen müssen.
[106] *Wittgenstein*, Philos. Unters. 23

bitten, es zu tun. Reichling sagte 1937, daß sogar das Wort die Spuren des Handelns zeige: das Wort fügt sich den verschiedensten Umständen, und dies ist nur möglich, weil das Wort ein handelndes Denken ist[107]. Der Handlungscharakter des Wortes erklärt, warum Wortbedeutungen sich ändern können und wie weit das geht. Denn unter den Bedeutungsvariationen bleibt die Sachbezogenheit des Wortes erhalten, indem es von einem Sprecher benützt wird, um für einen Hörer eine Sache anzudeuten. Es genügt, daß der Hörer bei »Huhn« an ein Huhn denkt. Daß er vielleicht meint, das Huhn sei ein Zugvogel, ändert nichts an der Situation. Es geht dem Sprecher darum, eine bestimmte Sache in einem Sprechakt zu benennen, der sich als solcher den Umständen fügt.

Aber die Intentionstheorie der Bedeutung hat ihre Schwächen. Man kann meinen was man will, aber es kommt doch darauf an, was man *sagt*. Als der Kardinal de Jong sich versprach, meinte er gewiß die zweite Hälfte des 19. Jahrhunderts. Aber was er sagte, wirkte komisch, weil es nicht diese Bedeutung hat. (»Die neunzehnte Hälfte des zweiten Jahrhunderts«). So scheint also doch nur die ziemlich unpersönliche Bedeutungstheorie Davidsons (sagen wir: Bedeutung als Rahmen der Wahrheitsbedingungen) gültig zu sein. Zudem habe ich selbst vorausgesetzt, daß die Auslegung von »Herr Müller ist nicht zu Hause« Sache der Konvention ist, die mit der Satzbedeutung relativ wenig zu tun hat.

Ein erster Schritt zur Lösung dieser Frage wird möglich, wenn man realisiert, daß die lokutionäre Bedeutung nur eine Abstraktion ist. In der lebendigen Situation geht es um Sprechakte, die alle drei performativen Aspekte zugleich umfassen und somit auch die Intentionen und die Konventionen. Es kommt aber darauf an, diese Elemente zu verbinden. Das ist das Verdienst Searles. Er hat gezeigt, daß mit einer Theorie der Absichten allein die Beziehung zur Sprache nicht deutlich wird. Man vergleiche dazu den folgenden Fall. Ein Amerikaner wird während des Krieges von Italienern gefangengenommen. Der Soldat kennt nur einen deutschen Satz und will mit ihm den Eindruck erwecken, Deut-

---

[107] A. *Reichling*, Het handelingskarakter van het woord, De Nieuwe Taalgids 31 (1937), 308–321, bes. 316–321

scher zu sein, um so freigelassen zu werden. Deswegen sagt er wiederholt:»Es stand in alten Zeiten ein Schloß so hoch und hehr.« Aufgrund dieses Satzes erkennen die Italiener, die kein Deutsch können, seine Absicht, freigelassen zu werden, und sie entlassen ihn. Aber man kann doch nicht sagen, daß diese Intention die Bedeutung des Satzes war, obwohl Grices Definition der Bedeutung hier völlig paßt[108]. Eine zusätzliche Schwierigkeit der Theorie Grices ist noch, daß sie die illokutionäre Kraft mit der sogenannten »perlokutionären« Kraft identifiziert. Die perlokutionäre Kraft gehört nicht zum Sprechakt; sie bedeutet den außersprachlichen Erfolg des Sprechaktes (eine Sache der Psychologie, wenn man will). Das Argumentieren z. B. ist etwas Illokutionäres; daß man damit auch jemanden überzeugt, ist eine perlokutionäre Sache, die noch nicht mit der illokutionären Kraft gegeben ist (und deshalb von mir außer Betracht gelassen wird). Searle versucht, die Intention des Sprechers an die »Oberfläche« zu bringen, indem er sie mit den sprachlichen Konventionen verbindet. Demnach kann man sagen, daß eine Person P einen illokutionären Effekt im Hörer H zu produzieren intendiert, indem sie H dazu bringt, daß er P's Intention erkennt, den illokutionären Effekt zu produzieren, und dies gelingt, weil H weiß, daß der Sachverhalt durch die Regeln des (geäußerten) Satzes S spezifiziert existiert[109]. Obwohl auch diese Definition ihre Probleme hat (sie beschränkt sich z. B. auf deklarative Sätze), legt sie doch den Weg frei für die Lösung der Frage nach dem Verhältnis der verschiedenen performativen Aspekte. Man könnte nämlich sagen, daß Intention und Konvention zwei Wesenselemente des Sprechaktes sind, so wie es auch der Fall mit den Performativen$_1$ und $_2$ ist; aber sie scheinen mir doch verschieden zu sein. Die sprachlichen Konventionen können sich ändern, auch wenn die Intention (z. B. um einen Sachverhalt mitzuteilen) die gleiche bleibt. Das Performativ$_1$ kann nie eingebettet sein; aber die illokutionäre Kraft (z. B. von »daß ich zu spät kam«) wohl, *wenn* sie als sich auf ihr Argument beziehend verstanden wird. »Ich verspreche, daß ich gestehen werde, daß ich zu spät kam«, ist ein

---

[108] Vgl. *J. Searle*, Speech Acts 43–45
[109] Ebenda 42–50

Versprechen (Performativ$_1$), aber der Rahmen des Satzteiles »daß ich zu spät kam« scheint doch durch die illokutionäre Kraft des Wortes »gestehen« (Performativ$_2$) bestimmt zu sein, ohne daß hier ein Geständnis im Sinne des Performativ$_1$ angenommen werden muß. Trotzdem ist der Sprechakt in seiner Totalität ein durch Konventionen konstituiertes Ganzes.

Andererseits ist wohl versucht worden, die illokutionäre mit der lokutionären Kraft zu identifizieren (und in dem Sinne auch ihre Existenz zu verneinen)[110]. Das Performativ$_2$ wäre dann etwas Überflüssiges, von dem Performativ$_3$ nicht zu unterscheiden. Gehört es nicht zur lokutionären Bedeutung von »Ihre Heumiete brennt«, daß es eine Warnung (Performativ$_{3=2}$) ist? Aber dann fragt man sich, wie der gleiche Satz doch auch gebraucht werden kann, um jemanden zu beruhigen, der auf der Flucht dem Feinde nichts hinterlassen will[111]. Daß es eine Warnung ist (Performativ$_2$), aktualisiert nur eine der Möglichkeiten, die in der lokutionären Kraft mit ihrem illokutionären Potential (Performativ$_3$) gegeben sind[112]. Man könnte auch sagen, die Warnung sei eine Einsetzung, so wie eine Konstante für eine Variable eingesetzt wird. Aber für Austin war der Unterschied zwischen Satzbedeutung und illokutionärer Kraft wesentlich, und dieser Unterschied scheint vorausgesetzt zu sein in seiner Umschreibung der illokutionären Kraft als »Indem ich x sagte, tat ich y«; und auch mir scheinen Performativ$_2$ und $_3$ verschieden zu sein, etwa so, wie »parole« und »langue« verschieden sind, wobei ich die lokutionäre Kraft – im Gegensatz zu Austin – zur Sprache *(langue)* und nicht zur Rede *(parole)* rechne[113].

Austin hat es unterlassen, den Sprechakt anthropologisch zu unterbauen. Ramsey hat ihn in Gesprächen auf diese Notwendig-

---

[110] *L. J. Cohen,* Do Illocutionary Forces Exist? (vgl. Anm. 18)

[111] *Q. Skinner,* Conventions and the Understanding of Speech Acts, The Philosophical Quarterly 20 (1970), 128

[112] Hier kommt eins der grundlegenden Probleme in der ganzen Diskussion zum Vorschein: das Verhältnis zwischen Satzbedeutung und Modaloperator (im weiteren Sinne) oder, wenn man will: zwischen lokutionärer Kraft, illokutionärem Potential und illokutionärer Kraft. Dieses Problem (das man auch ein Problem der »presuppositions« nennen könnte) scheint mir noch nicht gelöst zu sein.

[113] Vgl. *Austin,* How 98. In bezug auf »In saying x I did y«, vgl. S. 169

keit hingewiesen, aber Austin scheute sich davor: die Zeit sei noch nicht reif. Man müßte jedoch etwas mehr über die Rolle der Konventionen wissen[114]. Bestimmte Konventionsregeln sind z.B. nicht nur regulativ, sondern konstituieren den Tatbestand, vielleicht sogar hinterher. Auch eine Theorie der Intentionen ist nötig. Mit ihr könnte man entscheiden, ob man es mit einem oder mit mehreren Sprechakten zu tun hat. Denn Absichten haben einen »Einklammerungseffekt«: sie ermöglichen eine Strukturierung des menschlichen Handelns[115]. So wichtig solche Studien für die Philosophie wären, so muß man sich doch darüber im klaren sein, daß die Linguisten nicht mit solchen Kategorien arbeiten werden. Ihre Aufmerksamkeit ist der lokutionären Kraft gewidmet. Diese ist aber eine Abstraktion, und auch sie setzt nach der Wahrheitstheorie im Stile Davidsons den Sprechakt voraus, weil durch den Sprechakt Zeit und Umstände als Wahrheitsbedingungen in die Bedeutung des Satzes hineinkommen.

Die Theorie der performativen Sätze verbindet die generative Semantik nicht nur mit der Vergangenheit, sondern auch, wie es scheint, mit künftigen Entwicklungen in der Sprachwissenschaft. Denn schon vor langem hat H. Paul elliptische Sätze auf nicht unähnliche Weise analysiert[116]. In einem Satz wie »Kaffee und Tabak, um nur einige Produkte zu nennen, sind teurer geworden«, sollte nach ihm der elliptische Teil mit »Ich sage dies« vervollständigt werden. Und andererseits muß man sich in einer Theorie der Performative die Frage stellen, ob unter *jedem* Satz eine performative Phrase angenommen werden muß. Würde *ein* performatives Verb$_3$ und *eine* illokutionäre Kraft (Performativ$_2$) nicht für eine ganze Reihe von Sätzen genügen? Haben Austin

---

[114] Ansätze dazu bei *J. R. Cameron*, The Significance of Speech Acts and the Meaning of Words, The Philosophical Quarterly 20 (1970), 97–117, *Q. Skinner*, Conventions and the Understanding of Speech Acts, ib. 118–138, *M. Furberg*, Meaning and Illocutionary Force (vgl. Anm. 96), *J. Searle*, Speech Acts 33–42 und *L. W. Forguson*, Austin's Philosophy of Action, in: Symposium on J. L. Austin, ed. by *K. T. Fann*, London (Routledge) 1969, 127–147
[115] *L. W. Forguson*, Austin's Philosophy of Action (vgl. Anm. 114), 140: *bracketing effect*
[116] *H. Paul*, Deutsche Grammatik, Band IV, § 345. Vgl. für H. Paul und andere Autoren: *O. Leys*, Die Präpositionalinfinitive (vgl. oben, Anm. 74) 45

und die generative Semantik die Sätze nicht zu stark voneinander isoliert, und wäre nicht eine Theorie der Sprachspiele zu bevorzugen? Die Antwort scheint nur von einer Textgrammatik her gegeben werden zu können, das heißt: von einer Grammatik, in welcher das »Input« nicht, wie bisher, ein isolierter Satz (S→NP + VP), sondern eine größere Texteinheit T ist. Man spricht denn auch wohl von einer »T-Grammatik«. In diesem sehr jungen Zweig der Linguistik überschreitet man die Begrenzungen des Satzes. Vorher hat man das nur gelegentlich getan, insbesondere beim Phänomen der Pronominalisation. So weist in »Herr Müller spazierte. Er trug einen Hut« das »er« auf Herrn Müller zurück. Aber eine Theorie der Rede (gemeint sind »längere Texte«) fehlte bisher. Und sie fehlt auch jetzt noch, denn es gibt bisher nur Ansätze für eine solche Theorie[117]. Erst wenn diese Ansätze ausgebaut werden, können die Theorie der Sprachspiele und die Theorie der Sprechakte näher zusammengerückt werden.

6. Bemerkungen zur religiösen Sprache als Performativ

In Ramseys Theorie ist die Verbindung zwischen Sprachspielen und Sprechakten vorausgesetzt. Denn wenn er die Eigenart religiöser Sprachspiele erklärt, wird immer das lebendige, sprechende Subjekt mit seinen Erschließungen vorausgesetzt. Dennoch ist Austins Theorie ein Rahmen, innerhalb dessen man sich sehr bestimmte Fragen stellen kann, die Ramsey sich nicht ausdrücklich stellte und deren Erörterung, wenn auch skizzenhaft, als notwendig für eine Logik der religiösen Sprache erscheint. So wird man sich fragen müssen, mit welcher Intention der Gläubige spricht (man könnte an das Performativ$_1$ denken): warum sagt er die Dinge, die er sagt? Zweitens sollte einiges erörtert werden über die Konventionen, welche die religiöse Sprache konstituieren (Performativ$_2$). Und schließlich stellt sich auf der Ebene der lokutionären Kraft die Frage, welche Folge dies alles für die Be-

---

[117] In Deutschland hat sich diesbezüglich die »Schule von Konstanz« besonders verdient gemacht (u. a. P. Hartmann und D. Wunderlich).

deutung der Wörter und der Sätze hat. Bekanntlich hat Ramsey bezüglich der lokutionären Kraft schon vieles geleistet. Aber von der Theorie der performativen Sprache her scheint eine Ergänzung möglich und wünschenswert zu sein.

a) Die Absicht des gläubigen Sprechens

Nach Ramsey soll religiöse Sprache kohärent und empirisch bewährt sein, wie es im ersten Kapitel dargelegt wurde. Auf diese Weise ist religiöse Sprache auf der lokutionären Ebene sinnvoll. Aber das ist noch kein Grund, um die Sprache zu sprechen. Wir spielen ein Sprachspiel erst, wenn wir Motive dafür haben. Das Sprechen muß relevant sein. Es muß auch die Relevanz religiöser Sprache erörtert werden.

Indessen ist es hermeneutisches Gemeingut geworden, Aussagen als Antworten auf etwas zu betrachten. Obwohl es viele Arten religiöser Sprache gibt, scheint unter diesem Gesichtspunkt doch eine gemeinsame Struktur dieser Sprache aufweisbar zu sein, nämlich daß sie Antwort ist auf religiöse Erfahrungen. Ramsey, der immer betont, daß religiöse Sprache in der Erfahrung gegründet ist, hat wohl die Natur, aber nicht die Gestalt religiöser Erfahrung beschrieben; und wenigstens einige diesbezügliche Bemerkungen wären doch wünschenswert.

So muß man realisieren, daß der Name »religiöse Erfahrung« etwas Irreführendes an sich hat, als ob man darin etwas Religiöses, oder sogar Gott, erfahre. Von den Mystikern vielleicht abgesehen wird es sich aber im allgemeinen nur um eine Dimension der gesamten Wirklichkeitserfahrung handeln, nämlich das religiös interpretierende Moment. Objekt religiöser Erfahrung ist nicht Gott, sondern das Leben und die Welt; das Religiöse an der Erfahrung hat mit deren Sinn zu tun. Denn man kann sogar in unserer Gesellschaft (und noch deutlicher in anderen Kulturen wie etwa der kongolesischen) feststellen, daß das Leben dann als sakral empfunden wird, wenn es an einem Wendepunkt angelangt ist. Dieser Moment wird dann abgesondert und als bedeutungsvoll zelebriert. Man denke etwa an die Initiation und die Trauung. Es sind feierliche Momente, bei denen man fühlt, daß es um den Sinn der Existenz geht: Erschließungssituationen der

Abhängigkeit, wo das Individuum über seine Zukunft entscheidet und weiß, daß es sie nicht in der Hand hat. In solchen Momenten erfährt man zwar nicht einen Transzendenten, wohl aber, daß man von etwas transzendiert wird, man nenne es Schicksal, das Absolute oder Gott. Dies kommt jedenfalls vor. Und der Sinn der Zelebration (auch wiederholt, wie der Geburtstag oder das Jubiläum) liegt darin, daß man durch sie die Erschließungskraft solcher Momente festzuhalten versucht[118]. Für den Christen ist die Kirche Heimat solcher Zelebrationen. Das hängt damit zusammen, daß für den Christen die Offenbarung die Deutung solcher Momente ist. Wer durch die Übung mit Vielecken zu einer Erschließung des Kreises kommt, kann nur von x oder Vielecken sprechen, bis ihm ein Handbuch über solche Figuren in die Hände kommt. Die Gemeinschaft, in der die Offenbarung lebt, hat den Christen gelehrt, das kosmische x als Gott zu interpretieren, der die Welt erschaffen und seine Geschöpfe vom Anfang an geliebt hat[119]. Auch in den »Gottesbeweisen« geht es darum, die Bedeutung der Erfahrung zu entwickeln und deren Artikulation zu ermöglichen.

Interpretierende Sprache ist nicht mit reiner Beschreibung (*wenn* es diese gibt) identisch: sie enthält ein performatives Element$_1$. Schon deshalb ist auch religiöse Sprache performativ: sie schließt ein sinngebendes Subjekt ein. Denn hierin kann man Husserl beipflichten, daß die Deutung der Welt vom Sinn mitbestimmt wird, den der Mensch seiner Erfahrung geben *will*[120]. Durch seinen performativen Sprechakt sagt der Mensch etwas Kognitives von den ihm gegebenen Sinnesdaten aus. Das gilt vielleicht von jeder Erfahrung. Denn jede Erfahrung ist ein »Erfahren als«. Ich sehe zum Beispiel nicht nur, daß sich jemand entfernt: ich sehe, daß er flüchtet. Der Anteil des Subjektes ist aber je nach den Ebenen der

---

[118] Vgl. *J. E. Smith*, Experience and God, New York (Oxford Univ. Press) 1968, bes. 57–60

[119] Nach *D. Evans*, The Logic, 124–141, ist »x als y sehen« ein *onlook* (vielleicht mit »betrachten als« zu übersetzen).

[120] Darauf hat in meinem Seminar 1971 »Philosophie der religiösen Sprache« Herr I. Verhack hingewiesen. Dieser Gedanke wurde von ihm dann in Verbindung mit der Frage nach der Verifikation weiterentwickelt. Vgl. auch *J. Hick*, Religious Faith as Experiencing-As, in: Talk of God, Royal Institute of Philosophy Lectures, vol. 2, 1967/68, London (Macmillan) 1969, 20–35

Interpretation verschieden. Das Performative wird nie rein schöpferisch sein: man wird von etwas angesprochen. Aber die Antwort schließt eine Bereitschaft ein oder, wie Ramsey sagt, eine Hingabe *(commitment)*, und der Anteil dieser Bereitschaft wird in der religiösen Erfahrung größer sein als z. B. in der wissenschaftlichen Deutung der Welt. Ursprünglich schien Ramsey diese Hingabe als etwas zu betrachten, das auf das »merkwürdige Sehen« *(odd discernment)* folgt. Aber in seiner jüngsten Entwicklung betont er immer mehr, daß der sehende Mensch *antwortet* [121]. Die Hingabe steht schon am Anfang. Es ist nicht unwichtig, dies zu notieren. Denn erstens wird nur so eine Verbindung zwischen Ramseys »allmächtigem Gott« und dem Gott der Christen möglich, und zweitens kann er nur so einem Einwand entgehen, den ich ihm einmal auf folgende Weise machte. Wenn Gott als Macht »und mehr« beschrieben wird, als Gutes »und mehr«, als Liebe »und mehr«, wie kann ich je wissen, was das »Mehr« bedeutet? Stellen wir uns einen Mann vor, der gar nichts von Eros und Frauen weiß oder fühlt. Was hilft es ihm, wenn ich erkläre, eine Ehefrau, die man liebt, sei Küchenmädchen »und mehr«, Gehilfin »und mehr«? Ramseys Antwort war, daß es, religiös gesprochen, diesen geschlechtslosen Mann nicht gibt. Denn das Sprechen über Gott geht auf Erfahrungen zurück, in denen man, und zwar jeder Mensch, angesprochen *wird*, und worauf man von einem Vorverständnis aus antwortet. Und wenn man auch nicht antwortet: die Erfahrungen sind da.

Man kann sich aber fragen, ob das in unserer säkularisierten Gesellschaft noch der Fall ist. Gibt es auch jetzt Erfahrungen, die erst, wenn sie religiös gedeutet werden, sinnvoll sind? In einer Zeit der Luft- und Wasserverschmutzung, der Eisernen und Bambus-Vorhänge, von Genociden und blutigen Kriegen wie in Vietnam erfährt man die Welt nicht mehr so, wie es die Israeliten getan haben, nämlich als das wunderbare Werk der Hände Gottes. Das Leben wird jetzt nicht von jedem als ein Geschenk empfunden, man spricht eher von »Daseinsgeworfenheit«. Geburt und Fruchtbarkeit waren früher Anlaß für religiöse Zele-

---

[121] Vgl. *I. T. Ramsey*, The Philosophical Theology of I. T. Ramsey [Antwort auf gleichnamigen Artikel von H. P. Owen], Theology 74 (1971), 125–127

bration, weil man empfand, daß das Leben dem Menschen gegeben wird. Diese Erfahrung scheint jetzt vielen von uns fremd zu sein. Aber in ihrer negativen Version ist sie da! Denn die Kehrseite des Lebens als Geschenk ist die Erfahrung unserer Kontingenz, und diese steht in unserer Kultur sogar im Vordergrund. Nicht umsonst stellte die Existenzphilosophie die Angst und den Tod ins Zentrum. Der Mensch bemüht sich, diese Angst zu überwinden, indem er nach Möglichkeit Macht zu erwerben versucht. Er will sich sichern. Und wenn er entdeckt, daß die Gesellschaft ihm keine absolute Sicherheit bieten kann, ergibt er sich oft dem Nihilismus, oder er läßt sich in momentanen Befriedigungen gehen. Je mehr er dies aber tut, um so mehr wird es (oft auch ihm) deutlich, daß der Mensch eine Verankerung im Absoluten braucht.

Das gleiche ergibt sich aus der Freiheit des Menschen. Sie ist nicht nur Gabe, sondern auch Aufgabe. Der Mensch, fragend, wer er sei, sucht sich – im Dialog mit anderen Menschen – ein Modell seines Selbst, das als Ideal den Wert seines Lebens bestimmt. Aber es verurteilt ihn auch, wenn er hinter seinem Modell zurückbleibt. Er vermißt dann sogar seine Identität und fühlt sich schuldig. Es ist wieder nicht zufällig, daß so viel von »Schuld« gesprochen wird und daß in den religiösen Feiern so stark moralisiert wird. Der Schuldige fühlt sich seinen Mitmenschen gegenüber niedrig und möchte sich von ihnen doch angenommen wissen. Aber letzten Endes hilft ihm auch dies nicht, denn wir alle sind schuldig (man braucht sich nur an die Kriege, »Vorhänge« und an den Hunger in der Welt zu erinnern). Andere Menschen können uns die Unschuld nicht geben. Eigentlich suchen wir bedingungslos danach, angenommen zu werden, uns von jemandem angenommen zu wissen, der, selbst schuldlos, uns durch und durch kennt und doch liebt. Der Mensch braucht Vergebung, und der Mitmensch kann sie ihm nicht geben [122].

Man hat auch mehr positive Erfahrungen, wie es sich aus einer von J. van der Veken durchgeführten Untersuchung ergab [123].

[122] Zu dieser Analyse der religiösen Erfahrung (oder deren möglichen Ansatzes) vgl. *L. Gilkey*, Naming the Whirlwind: The Renowal of God-Language, New York (Bobbs-Merrill) 1969, 305–413
[123] *J. van der Veken*, Inleiding tot de hedendaagse Godsproblematiek, Collec-

Auf seine Frage, woran man glaube, bekam er als Antwort, daß glauben meistens in bezug auf die gewohnten Dinge geschieht: daß es Nahrung gibt (und bisweilen sogar gute), daß man atmen kann, eine gute Stelle hat, Wissenschaft oder Technik pflegen kann. Man sprach auch von Personen wie John Kennedy, Martin Luther King, Johannes XXIII., Christus, Che Guevara, Camillo Torrès. Höhere Werte waren den Befragten die Mitmenschlichkeit, eine Zukunft für die Kinder, guten Willens sein, Interesse füreinander haben, zusammen an etwas bauen. Nach den Interviewten glaubt jeder Mensch an etwas. Sie gestanden, daß sie die Welt auf die gleiche Weise erfahren wie die Nicht-Gläubigen. »Aber«, so sagten sie, »wir glauben, daß es darunter oder dahinter eine Tiefendimension gibt, ein Mehr oder – wenn man so will – eine Wirklichkeit, die sich in allen Wirklichkeiten zeigt.« Van der Veken hat alsdann zu einer Deutung dieser Grundwirklichkeit zu kommen versucht. Ist sie z. B. die Materie? Diese scheint doch zu arm zu sein, um den Reichtum unserer Erfahrung zu erklären. Die Gesetzmäßigkeit in der Welt schien den Befragten eher eine Rationalität zu sein, von der sie sich fragten, wie sie zu deuten sei. Man kam dann während der Gespräche dazu, diese »Rationalität« als eine liebevolle Absicht zu sehen. Denn für sie waren menschliche Liebe und Freude Anlaß zu einer Erschließung, die sie meist so artikulierten: »Das Leben ist gut« – als die subjektive Seite der Wirklichkeit; »Der Grund der Wirklichkeit ist Liebe« – als deren objektive Beschreibung. Gemäß der Enquete sagen Gläubige, wenn sie die Welt als sinnvoll erfahren: »Ich danke dir.« Denn für den Gläubigen soll das Geben, das jedes »es gibt« ermöglicht, ein »Du« sein. Dieser Glaube erwies sich trotz dem Leiden als möglich. Das Leiden war für verschiedene sogar eine Erschließung dessen, worum es im Leben geht. Sie glaubten an die Liebe trotz des Kreuzes. Denn für sie war das Ostergeschehen die Erschließungssituation dafür, daß das Kreuz nicht das letzte Wort ist. Denn Jesus ist nicht verlorengegangen, und sein Leben ist wertvoll, von Gott angenommen.
Die Erfahrung, daß das Leben gut ist oder kontingent oder daß

tanea Mechliniensia 54 (1969), 160–177. Ähnliches in *P. Berger*, A Rumor of Angels. Modern Society and the Rediscovery of the Supernatural, Garden City, N. Y. (Doubleday, Anchor Books) 1970

man schuldig ist, ist an sich noch nicht religiöse Erfahrung. Dies wird sie erst, wenn die Erfahrung gedeutet wird (z. B. wie es van der Veken zu tun versuchte). Dies ist die Aufgabe der Propheten, ihre Existenzberechtigung. Sie machen uns auf eine neue Sicht der Erscheinungen aufmerksam. Sie sind es (ob sie nun Priester, Pädagogen oder Theologen heißen), die die Menschen zu Erschließungen führen, in denen sich die wahren Bedeutungen offenbaren. Ob sie es – wie oft im Alten Testament – dadurch tun, daß sie den Alltag durch ein Symbolzeichen, das aus dem Alltag herausfällt, durchbrechen, oder ob sie sich vertrauterer Symbole bedienen: wenn man sie nach der Bedeutung ihrer Handlungsweise fragte, bestand der Kommentar gewöhnlich darin, daß sie die Ereignisse ordneten oder einen Schlüsselbegriff gaben, so daß man eine Linie entdecken konnte, die sich durch die Ereignisse zog. Das heißt letzten Endes, daß sie eine, ja *die* Geschichte erzählten oder es ermöglichten, »die wahre Geschichte« der Welt und des Volkes zu sehen. Es ist die Geschichte von Gottes Handeln mit den Menschen (weshalb die Wunder so wichtig waren), eine Geschichte, die sich auf die Vollendung hin entwickelt. So bedient sich z. B. Matthäus in seinem Kindheitsevangelium der vertrauten Symbole, um den Ort Jesu in dieser Geschichte des Heiles anzugeben, das heißt, um ihn religiös zu deuten. Das war seine Intention, als er Jesus, historisches Ereignis wie jeder Mensch, mit einem Geschlechtsregister einführte: er ist der dem David verheißene König. Er ist das neue Israel, denn er wurde aus Ägypten gerufen zum Land der Verheißung, und in der Wüste sündigte er nicht. Das Schicksal seines Volkes (Matthäus deutet unsere Geschichte) ist mit ihm verbunden, denn er ist der neue Moses. Es gab eine legendarische Tradition, nach der der Pharao in einem Traum die Ankündigung von Moses' Geburt erhielt, worauf er seine Ratgeber entbot und sich zur Vertilgung dieses möglichen Konkurrenten entschloß. So hat es auch der neue Pharao Herodes mit Jesus getan. Aber auch der neue Moses entkam dem Attentat[124].

---

[124] Das Bild wird im Evangelium von Matthäus weitergeführt, indem er sein Material in fünf Büchern ordnet (wie es mit dem Pentateuch war) und auch den neuen Moses das Gesetz Gottes von einem Berg her verkündigen läßt. Vgl. dazu *M. Rijkhoff*, Christus' maagdelijke geboorte volgens Lukas en Matteüs, Ons Geestelijk Leven 43 (1966–67), 293–307

Die Interpretationsschwierigkeiten des Kindheitsevangeliums hängen mit dem performativen[2] Charakter des Prophetierens zusammen. Denn wenn die Intention des Sprechers nur mit konventionsbedingter Sprache geäußert werden kann, muß man die damals geltenden aber meist verschwiegenen Konventionen solcher Rede kennen, um die Botschaft des Propheten völlig verstehen zu können[125]. Die Zeitgebundenheit solcher Konventionen stellt das Hauptproblem der Exegese dar. Dennoch sollte man realisieren, daß es (in der jüdisch-christlichen Tradition) eine Konstante im prophetischen Sprechen gibt, nämlich das Immer-neu-Erzählen dessen, was Gott für sein Volk getan hat. Diese Erzählungen dienen der Interpretation der Gegenwart (besonders im Alten Testament) und der Deutung der Zukunft (besonders im Neuen Testament). Für den Christen ist die Geschichte von Jesus Basis für die Deutung seines eigenen (mit den anderen verbundenen) Lebens. In Jesus hat Gott sich auf einmalige Weise gezeigt. Wie der Ausdruck eines Gefühls innerlich mit dem Gefühle selbst verbunden ist, so ist Jesus Ausdruck von Gottes Gesinnung[126], Gottes empirische Wirklichkeit (Vahanian), und als solcher unersetzbar. Seitdem besteht für den Christen die Antwort auf seine Lebenserfahrung darin, daß er sich immer aufs neue die Geschichte Jesu, der vom Tode auferweckt wurde, erzählen läßt. Denn er weiß, daß das Leben Jesu, völlig frei von sich selbst und frei für die anderen, prototypisch bekrönt worden ist. Denn Jesus, die Geschichte von Gottes Handeln, ist in die Zukunft als eine Verheißung für unser Leben hineingegangen. Seine Geschichte ist unsere Geschichte. Und das Zeugnis des Gläubigen besteht darin, daß er diese Geschichte weiterlebt und anderen überreicht. Die logische Form seiner Aussagen, ihre Tiefenstruktur, ist: »Er ist auferstanden«. Wenn er die Gesellschaft kritisiert, tut er es als Prophet des eschatologisch Wirklichen[127], dessen irdisches Leben

---

[125] Q. *Skinner*, Conventions (vgl. Anm. 114) 136. Das gilt vor allem, wenn die Technik der Propheten in der Durchbrechung von Konventionen bestand, damit ihre Botschaft deutlich wurde. Vgl. hierzu *H. O. Bastian:* Verfremdung und Verkündigung. Gibt es eine theologische Informationstheorie? Theologische Existenz heute Nr. 127, München (Kaiser) [2]1967
[126] *D. Evans,* The Logic 209
[127] Die Interpretation religiöser Sprache als das Erzählen der Geschichte Jesu

eine Verurteilung jeden Unrechts ist. Wenn er versucht, als Jesus zu leben, lebt er in der Hoffnung, von Gott angenommen und so von seiner Schuld und Kontingenz geheilt zu sein. Und er verkündet, daß das Leben tatsächlich lebenswert und mit einem »Ich danke dir« zu bejahen ist, weil der Grund des Lebens eine liebevolle Absicht, Gott, die Liebe selber ist. Wenn er predigt, erzählt er, wie die Welt in diesem Lichte aussieht.

Jeder Sprechakt ist mittels seiner Konventionsgebundenheit bereits gesellschaftlich bedingt. Dies gilt aber noch mehr vom christlich-religiösen Sprechen. Der Christ hat durch die Propheten gelernt, die Welt auf neue Weise zu sehen. Sein Sprechen hat er aus der Gemeinschaft empfangen, und er weiß sich auch für seine Mitmenschen verantwortlich. Es ist Teil seiner Botschaft, daß es das Heil nur in der Gemeinschaft gibt.

Wenn also der Gläubige sagt, daß Gott allmächtig ist, meint er tatsächlich, so wie Ramsey es analysiert hat, daß Gott derjenige ist, der enthüllt wird, wenn man Geschichten von Macht immer weiter entwickelt. Jesus ist ihm dabei das Vorbild der größten Macht, der Macht der Liebe, in den Augen der Welt eine Unmacht. Aber sein Motiv, den Satz »Gott ist allmächtig« zu äußern, ist, daß er erneut die Geschichte von Gott in der Welt, in Jesus und in uns erzählen will: unsere Geschichte. Sie ist ihm Modell für die Interpretation der Welt. Sie macht seine Erfahrung religiös und ist die Basis für seine Hoffnung. *Wenn* man bestimmte Erfahrungen als religiös absondern will, so ist es nicht deswegen, weil man Gott erfuhr. Man erfährt die Welt und das Leben als Werke und Geschichte Gottes. Aber es ist wie mit der artistischen Erfahrung des Künstlers. Sie erstreckt sich über das ganze Leben, und der Künstler sieht überall Schönes, wo wir es nicht sehen. Dennoch gibt es Höhepunkte, Momente, die wie ein Schlüssel für seine ganze Erfahrung sind: Momente, in denen er

---

bei *A. Lascaris,* Profetisch spreken over God, Tijdschrift voor Theologie 11 (1971), 3–29. Eine weitere Ausarbeitung des eschatologischen Aspektes in dem vorzüglichen Werk von *R. W. Jenson,* The Knowledge of Things Hoped For. The Sense of Theological Discourse, New York (Oxford Univ. Press) 1969. Dieser Autor hat den großen Vorteil, daß er sowohl mit der analytischen Philosophie als auch mit Autoren wie Fuchs, Ebeling und Pannenberg vertraut ist.

auf neue Weise zu sehen lernt. So ist es auch mit der religiösen Erfahrung. Sie stellt das ganze Leben unter ein bestimmtes Licht, und sie umgreift alles. Aber es gibt hervorragende Augenblicke, in denen der Mensch wie gefesselt und ergriffen ist und in denen er den Schlüssel für die Bedeutung aller Dinge entdeckt. Diese Augenblicke sind bestimmend für seine weitere religiöse Erfahrung. In diesem Sinne gibt es spezifische religiöse Erfahrungen [128].

b) Die Bedingungen des religiösen Sprechens

Man könnte mit Austin die illokutionäre Kraft des Sprechaktes definieren als »Indem ich *x* sagte, tat ich *y*«. Obwohl diese Definition ihre Schwächen hat [129], kann sie aber oft eine Hilfe sein, um die illokutionäre Kraft zu bestimmen und das Performativ$_2$ an die Oberfläche zu bringen. »Indem ich sagte, daß ich schießen würde, drohte ich ihm« ist ein Beispiel dafür. Um zu entscheiden, ob ein Satz sinnvoll ist, kann man sich jedesmal die Frage stellen, ob es dafür einen Gebrauch *y* gibt. Für »Der gegenwärtige König von Frankreich ist kahlköpfig« gibt es ein solches *y* nicht, oder wenigstens nicht eine, sei es auch beschränkte, Reihe von Gebrauchsmöglichkeiten. Es fehlt hier eine Konvention, auf die man sich jetzt berufen könnte (im Gegensatz zu der Zeit, als es einen König von Frankreich gab) [130]. Sobald man gegen die Konventionen verstößt, wird der Sprechakt »glücklos« (*unhappy*) [131]. Austin hat solchen Fällen, wo etwas schief geht, auffallend viel Aufmerksamkeit gewidmet. Er wollte auf diese Weise erstens etwas mehr über performative Äußerungen entdecken; denn nur wenn solche Äußerungen in den geeigneten Umständen stattfinden, sind sie wirklich performativ (wobei – wie es zu erwarten war – das

---

[128] A. E. *Taylor*, The Vindication of Religion, zitiert in: The Existence of God, ed. by J. *Hick*, London (Collier-Macmillan) 1964, 153–154
[129] »In saying *x* I was doing *y*« or »I did *y*«, *Austin*, How 121. Austin bemerkt dazu, daß diese Definition leider auch bestimmte Fälle von lokutionärer Kraft einschließt, wie wenn man sagt: »Als ich sagte, daß ich die Katholische Kirche verabscheue, meinte ich die *Römisch*-Katholische«, ebd. 121–123.
[130] Vgl. *E. von Savigny*, Philosophie d. n. Spr. 154–158
[131] Für die Übersetzung von Austins Terminologie bezüglich der Fehlschläge stütze ich mich auf *Savigny*, ebenda, bes. 138–140.

Performativ$_1$ und $_2$ nicht immer scharf unterschieden werden können). Man wettet z. B. nicht, wenn das Rennen schon gelaufen ist; die Formel »Ich wette« wäre dann kein gelungener Sprechakt. Erst wenn die Uhr nicht mehr geht, interessieren wir uns dafür, wie Uhren gehen. Zweitens war Austin an den Fehlschlägen interessiert, weil er meinte, so ein Kriterium zu erhalten, um performative von nicht-performativen Äußerungen *(constantives)* zu unterscheiden. Denn was den gleichen Fehlschlägen ausgesetzt ist, gehört zusammen. Behauptungen können falsch sein, performative Äußerungen aber nur glücklos. Später hat er aber gesehen, daß Performative auch etwas mit Wahrheit zu tun haben, andererseits, daß Behauptungen auch Sprechakte sind und also ebenfalls glücklos sein können.

Nach Austins Theorie (die übrigens nicht erschöpfend gemeint ist[132]) gibt es drei Arten von Fehlschlägen. Die erste Art ist die Fehlberufung: es gibt keine Konvention, auf die man sich berufen kann (man kann z. B. Schiffe oder Menschen taufen, aber nicht Pinguine), oder es gibt zwar eine, aber unter den waltenden Umständen kann man sich nicht darauf berufen (man kann nichts versprechen in Abwesenheit eines Adressaten). Die zweite Sorte von Fehlschlägen ist die Fehlausführung. Auch hier kommt der Sprechakt nicht zustande, aber diesmal indem er nichtig ist, weil etwas folgt, das den Akt aufhebt (»Ich fluche doch nicht, verdammt nochmal«), oder eben, weil etwas nicht folgt, was für das Zustandekommen des Sprechaktes notwendig ist (der Mann sagt zwar »Ja« bei der Trauung, aber die Braut schweigt). Bei der dritten Art von »infelicities«, nämlich dem Mißbrauch der Regeln, kommt der Sprechakt zwar zustande, aber er ist glücklos, weil man unaufrichtig ist (»Ich vergebe dir«, jedoch man meint es nicht) oder weil man inkonsequent ist (man verspricht etwas, und zwar ehrlich, aber nachher überlegt man sich's und erfüllt das Versprechen nicht).

Man kann das in der Theorie der Fehlschläge Ausgedrückte auch positiv formulieren. Dann hat man die Bedingungen des Sprechaktes. Austin selber hat das auch getan[133], und wohl in diesem

---

[132] *Austin*, How 20–23. Zur Theorie der Fehlschläge vgl. ebd. 15–52.
[133] Ebd. 14–15

Sinne hat auch Lakoff die Bedingungen des Glückens einen Sonderfall der »presuppositions« genannt[134].
Diese Liste könnte noch komplettiert werden, indem man die allgemeinen Bedingungen formuliert, denen der Sprechakt als sprachliches Phänomen unterworfen ist. Die Äußerung soll demnach phonologisch, syntaktisch und lexikalisch in Ordnung sein. Zudem ist der Sprechakt eine menschliche Handlung und soll also frei zustande kommen. In bezug auf die primären (nicht expliziten) performativen Äußerungen muß noch bemerkt werden, daß sie, illokutionär gesehen, zu unbestimmt sein oder falsch verstanden werden können (eine Warnung wird als ein Ansporn aufgefaßt)[135].

Man könnte dies alles als Rohmaterial betrachten, das theologisch erst interessant wird, wenn man es neu ordnet, ergänzt und für bestimmte Sprechakte wie Bekenntnis, Gelübde, Taufe spezifiziert. Dann würde sich eine Logik des Bekenntnisses, des Gelübdes usw. ergeben. Diese Arten von Logik aufzustellen würde uns aber in diesem programmatischen Kapitel zu weit führen. Am ehesten könnte ein allgemeiner Rahmen gegeben werden, gleichsam ein hermeneutisches Modell, worin man selber die Bedingungen der religiösen Performative unterbringen kann. Allerdings findet man diesen Rahmen nicht bei Austin, aber diesbezüglich hat Searle nützliche Arbeit verrichtet[136].

Indem ich seine Ausdrücke etwas umwandle[137] und voraussetze, daß erstens die normalen Eingabe- und Ausgabebedingungen gelten (man muß z. B. verstehen, was der andere sagt) und daß man zweitens die oben schon erwähnte Bedeutungstheorie Searles unterschreibt, in der Grices »intentions« mit den sprachlichen Kon-

---

[134] *Lakoff*, Linguistics 175
[135] Zu diesem letzten, durch Austin nicht behandelten Fehler vgl. *E. von Savigny*, Philosophie d. norm. Spr. 141–146. Es ist noch zu bemerken, daß die Theorie der Fehlschläge sich nicht auf Sprechakte beschränkt: sie gilt nach Austin auch für nicht-verbale rituelle Handlungen. Vgl. *Austin*, How 18 bis 19
[136] *J. Searle*, Speech Acts 54–71
[137] Er spricht z. B. von Vorbedingungen (*preparatory conditions*), die (a. a. O. 60) als zwar nicht das Wesentliche gebend definiert werden, ohne die aber der Sprechakt doch nicht gelingt. Ich werde sie »Umstände« nennen (wobei ich mich übrigens näher an Austins Gebrauch anschließe).

ventionen verbunden werden, dann glaube ich folgendes Schema der Bedingungen für Sprechakte aufstellen zu können. Als konkretes Beispiel gelte der Versprechens-Akt:

1. Satzinhalt: Der Satz muß angeben, daß der Sprecher eine bestimmte Handlung vornehmen (casu quo eine bestimmte Handlung unterlassen) will. Etwas Vergangenes kann man nicht versprechen. Statt »Satz« kann man auch von »Rede« sprechen, denn der Inhalt kann in mehreren Sätzen ausgedrückt sein.

2. Umstände: Vorausgesetzt ist (immer in unserem Beispiel), daß der Hörer das Versprochene vorzieht und daß der Sprecher das glaubt[138]. Dazu muß nicht evident sein, daß der Sprecher in den normalen Fällen die versprochene Handlung ausführen würde, wenn sie nicht versprochen wäre[139].

3. Aufrichtigkeit: Der Sprecher intendiert, die versprochene Handlung zu tun (beziehungsweise die für den Hörer unangenehme Handlung zu unterlassen).

4. Sprachliche Konvention: Der Sprecher intendiert, daß seine Äußerung des Satzes (oder der Rede) ihn sozial verpflichtet, die Handlung zu tun (casu quo die Handlung zu unterlassen). Diese Bedingung ist die wesentliche für die illokutionäre Kraft. Deswegen wurde oben bestritten, daß die generative Semantik von der illokutionären Kraft in unserem Sinne redet.

Es seien noch zwei Beispiele angeführt[140], die, wenn sie ausgearbeitet werden, theologisch relevant sein können, nämlich die Bitte und die Danksagung.

Für die Bitte gilt:

1. Satzinhalt: Künftige Handlung des Hörers.

2. Umstände: Der Hörer ist fähig, die Handlung zu tun, und der Sprecher glaubt das. Dabei muß nicht evident sein, daß der Hörer die Handlung ungefragt tun würde. (Angewandt auf das Gebet wäre hier aber vieles zu modifizieren!)

---

[138] Bequemlichkeitshalber wird von einem Hörer gesprochen. Gemeint ist der wirkliche Adressat, das heißt derjenige, dem etwas versprochen wird. Das gleiche gilt für die noch folgenden Beispiele.
[139] *J. Searle*, Speech Acts 59, gibt ein gutes Beispiel dafür: Wenn in einer harmonischen Ehe der Mann seiner Frau verspricht, sie die nächste Woche nicht zu verlassen, wäre das eher eine Drohung als ein Versprechen!
[140] Ebd. 66–67.

3. Aufrichtigkeit: Der Sprecher wünscht, daß der Hörer die Handlung tut.
4. Sprachliche Konvention: Die Rede zählt als ein Versuch, den Hörer dazu zu bewegen, die Handlung zu tun.

Als Rahmen für die Danksagung sei vorgeschlagen:
1. Satzinhalt: Handlung durch den Hörer bereits vollzogen.
2. Umstände: Diese Handlung nützte dem Sprecher, und dieser glaubt das auch.
3. Aufrichtigkeit: Der Sprecher ist dankbar für die Handlung.
4. Sprachliche Konvention: Die Danksagung gilt als Ausdruck der Dankbarkeit.

Was heißt es nun, den Satz »Gott ist allmächtig« als performativ zu betrachten? Anhand des gegebenen hermeneutischen Schemas wird deutlich, daß man näher bestimmen muß, wie er funktioniert. Nehmen wir den Fall eines Täuflings, der mit diesem Satz seinen Glauben bekennt. Nach dem oben Gesagten wäre der Satzinhalt eine Kurzfassung der Geschichte von Gottes Handeln, gipfelnd in der Auferstehung Christi. Zu den Umständen würde gehören, daß dieses Handeln, nach der Überzeugung des Sprechers, auch ihm, dem Täufling, nützt. Aufrichtigkeit: Der Täufling glaubt tatsächlich, daß Gott allmächtig ist. Daß damit das Objekt seines Glaubens nicht nur ein Satz, sondern Gott ist, ergibt sich aus der Austauschbarkeit von »Ich glaube, daß Gott allmächtig ist« mit »Ich glaube an Gott den Allmächtigen«[141]. In der sprachlichen Konvention ist enthalten, daß die Äußerung dieses Satzes als Glaubensbekenntnis gilt.

Es ergibt sich aus diesem Beispiel, daß ein Satz mehrere illokutionäre Kräfte zugleich haben kann. Weil wir das Performativ$_2$ abgesondert haben, ist das nicht befremdend. Denn es steht nichts

---

[141] Daß der berühmte Unterschied zwischen »belief in« und »belief that« wenigstens für die liturgische Formulierung des Glaubensbekenntnisses ziemlich unwichtig ist, ergibt sich aus der Tatsache, daß man da auch findet »ich glaube *an* die Vergebung der Sünde« u. dgl. Darauf haben L. *Bejerholm* und G. *Hornig*, Wort und Handlung. Untersuchungen zur analytischen Religionsphilosophie, Gütersloh (Mohn) 1966, 65, hingewiesen. Diese Autoren scheinen mir zwar zu wenig Wert auf die Bedingung der Aufrichtigkeit zu legen (vgl. S. 16–17) und zu Unrecht zu behaupten, daß »Ich glaube« nicht performativ sein kann, aber im allgemeinen ist ihr Kapitel über das Glaubensbekenntnis (S. 37–76) empfehlenswert.

dagegen, daß eine Äußerung zugleich aufgefaßt werden kann als ein Glaubensbekenntnis, als ein Zeugnis, als Dank und als Versprechen. Als Performativ$_1$ würde es aber nur einen Akt geben, denn Handlungen, die in einem raum-zeitlichen Koordinatensystem zusammenfallen, sind identisch. Daß wir keinen Namen für diesen Akt haben, zeigt nur, daß unsere Sprache nicht immer ausreicht.

Der Unterschied zwischen »Gott ist allmächtig« und »Ich glaube, daß Gott allmächtig ist« gleicht dem zwischen »Es regnet« und »Ich behaupte, daß es regnet«. So wird man sich nicht mehr sehr wundern, wenn man bei Bejerholm und Hornig liest, daß »Ich glaube« nicht performativ ist. Nur ist es vielleicht zuviel gesagt, wenn diese Autoren behaupten, daß »Ich glaube« nie performativ sein kann. Denn wenn dieser Satz den Konventionen nach als Glaubensbekenntnis gilt, ist er performativ.

c) Religiöse Sprache und Verhaltensmodelle

Ramseys Theorie der Erschließungssprache scheint sich auf die lokutionäre Kraft zu beziehen. Deswegen habe ich im letzten Paragraphen keinen Rahmen der Bedingungen für diese Sprache aufgestellt. Man könnte zwar sagen, daß man mit dem Satz »Gott ist allmächtig« die Absicht hat, im Hörer eine Erschließung hervorzurufen, aber das kommt auf das gleiche hinaus wie die These, daß man mit einem Satz beabsichtigt, daß er verstanden wird. Daß der Sprecher mit einem Satz intendiert, den Hörer zu trösten, wäre eine andere Sache (nämlich Performativ$_2$). Dennoch stellt sich die Frage, ob unsere Theorie keine Folgen für die religiöse Sprache hat, auch wenn man sie lokutionär betrachtet. Dies scheint mir tatsächlich der Fall zu sein. Der Gläubige reagiert mit seinen Sprechakten auf Gottes Handeln. Gott hat sich in der Geschichte engagiert.

Die performativen Akte der Gläubigen sind also das, was Evans »korrelative Performative« genannt hat[142]. Die Tradition hat das gleiche ausgedrückt, indem sie sagte, daß die Initiative bei Gott liege. Was der Gläubige von Gott weiß, ist eben das, was er

---

[142] D. *Evans*, The Logic 77

in der Geschichte getan hat, und besonders, wie er das Leben Jesu wertete. Nur indirekt weiß der Gläubige so auch etwas von Gottes Natur, aber nicht mehr, als was sich aus dem Phänomen der Sprache über die Menschennatur ableiten ließe. Die Sprache ist kein Symbol des Menschen (das wäre nur das Wort »Mensch«); sie bildet ihn nicht ab. Aber sie manifestiert etwas von seiner Natur. In dem Sinne sind Welt und Geschichte Manifestationen Gottes, nämlich als Werk seiner Hände. Auch nach Macquarrie wird diese Tatsache am besten mittels »models and qualifiers« ausgedrückt[143]. Aber diese Tatsache impliziert noch etwas mehr. Denn daß Gott unser Vater ist, heißt demnach, daß er sich uns gegenüber als ein Vater verhält. Und die performative Antwort lautet dann, daß man Gott gegenüber wie einem Vater gegenüber handelt. Der Gläubige, der sagt »Gott ist mein Vater«, betrachtet Gott als seinen Vater[144]. Das ist also auch der Inhalt seines Satzes, und das heißt, daß Ramseys Modelle sehr wahrscheinlich als Verhaltensmodelle zu betrachten sind. Die illokutionäre Kraft von Gottes schöpferischen Worten hat die Situation erschaffen, in der das Sprechen und Tun der Gläubigen die geeignete Antwort ist. Daß der Gläubige das weiß, ist Sache seines Glaubens; er ist davon überzeugt, daß sein Handeln in Übereinstimmung mit der Wirklichkeit steht.

Ich betrachte es nicht als meine Aufgabe, diese Theorie auszuarbeiten (dies ist bereits getan worden[145]), und den Konsequenzen nachzugehen, getraue ich mich nicht (sind alle Modelle für Gott Verhaltensmodelle? Wäre die Analogie weniger wichtig als man denkt?). Aber was ich meine, möchte ich an einem Beispiel verdeutlichen. Es gab während des Krieges einen Professor in Nimwegen, der 1942 von den Nazis verhaftet, gefoltert und von einem KZ ins andere geschleppt wurde. Er war seinen Verwundungen fast erlegen, als die Befreiung kam. Sieben Operationen

---

[143] *J. Macquarrie*, God-Talk. An Examination of the Language and Logic of Theology, London (S. C. M.) 1967, 217–233
[144] Man hat dafür den Ausdruck »metaphysical parabolic onlook« geschaffen. Vgl. *D. Evans*, The Logic 124–141, und *A.Gualtieri*, Truth Claims for Religious Images, Religious Studies 1 (1965/66), 151–162. Dazu *R. Jenson*, Knowledge of Things (vgl. Anm. 127), 118–123
[145] Vgl. Anm. 144

waren nötig, damit er wieder gehen konnte, wenn auch nur mit Krücken. Als er dann endlich 1947 wieder seine Vorlesungen antrat, fing er auf folgende Weise an: »Wie wir in der letzten Vorlesung gesehen haben...« Wahrscheinlich werden hier viele Studenten eine Erschließung des »Selbst« unter den wechselnden Erscheinungsformen dieser Person gehabt haben. Man fängt da von einem »Zentrum des Bewußtseins« usw. zu reden an. Wenn dann ein Student sein Fahrrad nimmt und in die Natur kommt (was in Nimwegen ziemlich schnell geht), dann führt ihn vielleicht sein soeben erweckter Sinn für das bei allem Wandel Bleibende zu einer ähnlichen Erfahrung in der Natur mit ihrer ständigen Regelmäßigkeit der wechselnden Jahreszeiten: eine kosmische Erschließung von etwas Transzendentem in oder hinter der Natur, vielleicht auch ein »Selbst«, ein »Zentrum«, eine »alma mater«; es ist, wie bei jeder Erschließung, schwierig zu artikulieren, nie glattweg beschreibbar, nur mitteilbar, indem man an eine ähnliche Erfahrung in den anderen appelliert. Woods drückte sich einmal so aus: »Wir können nicht bei absoluter Änderung stehen bleiben. In unserer Erfahrung des sich Ändernden haben wir eine eigentümliche Erfahrung des sich nicht Ändernden. Ich glaube, daß wir allmählich ein Seiendes gewahr werden, das je nachdem ›rein‹, ›absolut‹ oder ›transzendent‹ genannt wird. Der Schluß ist das Sein selber. Es ist nicht leicht zu sagen, ob man dieses reine Sein erfährt oder ob man gewöhnlich eher erfährt, daß man von ihm überstiegen wird«[146].

Diese Erfahrung würde nach dem ersten Kapitel zu einem absoluten Wesen führen, dem Sein selbst. Nach dem zweiten Kapitel aber hat dieses Wesen sich als in dieser Welt handelnd erwiesen, als durch die Wunder auf persönliche Weise in der Welt anwesend. So kamen wir dazu, von einem sich selbst treu bleibenden Wesen zu sprechen, einem persönlichen Gott. Das dritte Kapitel wird deutlich gemacht haben, daß Sprechen eine Weise des Sichverhaltens ist. Demnach wären die Wortbedeutungen in einem Verhaltensmuster integriert, in einem Verhalten Gott gegenüber, der sich durch die Geschichte zeigte.

---

[146] G. F. *Woods*, The Idea of the Transcendent, in: Soundings. Essays Concerning Christian Understanding, ed. by A. R. *Vidler*, Cambridge (Cambr. Univ. Press) 1962, 63

So wäre »das sich selbst treu bleibende Wesen« als ein Modell zu interpretieren, gebraucht von jemandem, der auf Gott, der getreu ist, antwortet. Demnach würde dieser Ausdruck für eine Haltung des Vertrauens stehen. »Gott ist getreu« wäre also ein Verhaltensmodell für den Gläubigen, mit dem er seine Überzeugung äußert, daß es recht und angemessen ist, sich Gott gegenüber so zu verhalten wie gegenüber einer Person, die sich selbst treu bleibt, die sie selbst bleibt. Vielleicht befriedigt dies unsere Lust an theologisch-spekulativen Betrachtungen nicht sehr. Aber ich habe einmal gelesen, daß die Theologie seit dem zweiten Jahrhundert das »Geschichte-Modell« der Heiligen Schrift vergessen hat und von da an Gottes Natur »an sich« zu betrachten anfing[147]. Wenn diese Lust durch die hier gebotene Logik des theologischen Stammelns einigermaßen temperiert worden ist, wäre vielleicht schon etwas erreicht.

[147] A. Lascaris, Profetisch spreken over God, Tijdschrift voor Theologie 11 (1971), 3–29, bes. 18–21

ZUSAMMENFASSUNG

Nach einer kurzen Darlegung der Ergebnisse der Sprachanalyse aus den vergangenen zwei Jahrzehnten wurde im *ersten Kapitel* zu zeigen versucht, was diese Analyse leistet, wenn man sie auf die religiöse Sprache anwendet. Religiöses Sprechen hat seine eigene kontextuelle Umrahmung und seine eigene Logik, die vom Standpunkt des gewöhnlichen oder des wissenschaftlichen Sprechens eher seltsam erscheinen. Dieses Seltsame hat Prof. Ian T. Ramsey mit Hilfe seiner Schlüsselbegriffe der Erschließungssituation und des qualifizierten Modells zu erklären versucht, und dies, wie sich zeigte, nicht ohne Erfolg. Der erste dieser Begriffe ist die »Erschließungssituation«. Sie wurde verdeutlicht anhand einiger Beispiele: wie man erkennt, was ein Kreis ist, wenn die Anzahl der Seiten eines regelmäßigen Vielecks unendlich groß wird; wie man sich bewußt wird, daß jemand eine Person ist, wenn beschreibendes Sprechen nicht mehr ausreicht; wie wir unsere Subjektivität entdecken – alles Situationen von »Beobachtbarem *und mehr*«. Die Entdeckung unserer Subjektivität ist ein religiöses Paradigma; denn besonders die religiöse Situation ist dadurch gekennzeichnet, daß subjektives Transzendieren mit objektivem Transzendieren einhergeht (Beispiel: David und Nathan). Religiöse Sprache verwendet darum beschreibende Worte evokativ, das heißt, um solche Situationen des Transzendierens hervorzurufen. Die Objektivität und der Bezug (»reference«) des religiösen Sprechens sind somit in der Erschließung begründet, während ein Modell, nachdem es zu einer Erschließung geführt hat, dazu dient, zu artikulieren, was erschlossen wurde. Ein Modell ist eine Situation, mit der wir vertraut sind und die man verwenden kann, um eine andere Situation zu erfassen, die uns nicht so geläufig ist. Es verwendet eine Sprache, die unmittelbar für ein Gebiet zutrifft, als Linse, um ein anderes Gebiet zu sehen. Der Qualifikator (»qualifier«) deutet dabei einen besonderen Weg an, um diese »Modell«-Situationen auszuweiten.

Mit diesem methodologischen Werkzeug wurde es möglich, dem Sinn der traditionellen Gottesbeweise auf eine neue Art und Weise nachzuspüren. Man erkannte sie als Techniken, um eine kosmische Erschließung hervorzurufen, und als Anweisungen, wie man von Gott mit Bezug auf das sprechen kann, was objektiv in den empirischen Grundlagen für unser theologisches Sprechen erschlossen wurde. Weil aber keine Erschließung mit absoluter Garantie erfolgt, stellt sich die Frage, ob man, die Transzendenz Gottes (z. B. durch eine Unterscheidung von Bildmodellen und Erschließungsmodellen) erfolgreich verteidigend, nicht doch einer Art Agnostizismus oder Subjektivismus verfällt. Obschon die Zuverlässigkeit eines Systems immer von einer Wahl abhängig ist, scheint doch die Vernünftigkeit dieser Wahl gesichert zu sein, wenn man, wie es auch Ramsey tut, eine Multimodell-Sprache und den Test der empirischen Tauglichkeit für erforderlich hält.

Indem diese Theorie in den breiteren Kontext einer allgemeinen Linguistik gestellt wird, ergibt sich als Folgerung, daß man auf diese Weise den syntaktischen, semantischen und pragmatischen Dimensionen jener Art von Sprache gerecht werden kann, die man die religiöse Sprache nennt.

Im *zweiten Kapitel* wird dann die analytische Methode auf das Problem von Wunder und Wissenschaft angewandt. Dies geschieht nicht ohne Grund. Denn in der Diskussion über die Natur einer Tatsache lassen manche Autoren die menschliche Komponente außer acht, andere berücksichtigen sie. In der vorliegenden Arbeit wurde der zweite Ansatz gewählt und das Phänomen der Wunder als ein menschliches Erlebnis untersucht. Gerade in dieser Perspektive scheint es vielversprechend, die Wunder als Erschließungssituationen zu behandeln, wie es I. T. Ramsey getan hat, so daß die Funktion eines Wunders als *miraculum,* insofern es einen Bruch im gewöhnlichen Lauf der Geschehnisse darstellt, darin besteht, die Erschließungskraft des Beobachtbaren zu aktualisieren, wodurch (insofern als solch ein Bruch persönliches Verhalten zu erschließen vermag) das Wunder als *signum* als »Freier-Wille«-Anspruch über das Universum erscheint.

Es ist bekannt, daß Wunder eine empirische Basis waren, um über Gott in Personal-Termen zu sprechen, aber diese Tatsache löst nicht die vielen Probleme in diesem Bereich: ob es tatsächlich Wunder gegeben hat; wie man unterscheiden kann zwischen wahren und falschen Erschließungen; wie man sagen kann, daß Gott in der Geschichte gehandelt hat. Wenn Gott transzendent ist, so scheint es keine Rechtfertigung für irgendwelches Sprechen über Gott zu geben, sei es in Termen des »Handelns« oder sogar des »Seins«.

Um an diese Probleme heranzukommen, muß man zuerst erarbeiten, daß die Logik der Frage »Gibt es Wunder?« verschieden ist von der Logik des Satzes »Gibt es Sauerstoff?« Die Tests der empirischen Tauglichkeit (»empirical fit«) und der Konsistenz müssen ebenfalls berücksichtigt werden. Und weiter muß beachtet werden, daß das Sprechen über Gott in Erschließungen wurzelt. Prädikate wie »seiend« oder »handelnd« dürfen, wenn sie auf Gott bezogen werden, nur Modelle sein, die vom Wege herrühren, über den die Erschließung zustande kam, auch wenn sie sich auf Bedeutungen (Sinne) oder Strukturen beziehen, die über diese Wege hinausreichen. Die Aussage »Gott existiert« oder »Gott ist ein Seiendes« bedeutet also, daß Gott dem ähnlich ist, was erschlossen wird, wenn man über die letzten Implikationen der Realität reflektiert. Die Transzendenz Gottes aber impliziert seine Immanenz in der Welt, und seine Präsenz zählt mehr für die Menschen als seine Existenz in abstracto. Im Wunder geschieht die Erfahrung des Kontakts mit dieser Präsenz, und der Begriff der »Erschließungskraft« erhellt dies, vorausgesetzt, daß ein anderer Term, nämlich »Symbol«, eingeführt wird (im Sinne der Präsenz des Metempirischen im Empirischen). Eine Erschließung kann also definiert werden als eine Symbol-Erfahrung, deren Inhalt nur in Modellen artikuliert werden kann. Das kann erklären, warum es möglich ist, daß in einem Wunder mehr ist als in Worten ausgedrückt werden kann.

Die Erkenntnis, daß die Logik des »Sauerstoffs« eine andere als die des »Wunders« ist, kann eine Hilfe bei der Klärung eines anderen Punktes sein: daß nämlich wissenschaftliche Erklärung und Wunderberichte sich nicht gegenseitig ausschließen. Das Verhältnis der beiden Wege und ihrer Ergebnisse kann dann in Termen von Gottes allgemeinem und persönlichem Involviertsein erklärt werden. Es bleibt aber die Frage, ob die beiden Sprachspiele, das der Wissenschaft und das der Wunder, miteinander verknüpft werden können. Der Übergang von der ethischen zur religiösen Sprache, von »Das ist meine Pflicht« zu »Das ist Gottes Wille«, dient als Beispiel, um die integrierende Funktion des

Wortes »Gott« als eines Schlüsselterms für verschiedene Sprachspiele zu sehen, eine Funktion, die durch seine Verwurzelung in Erschließungen ermöglicht wird.

Aus ähnlichen logischen Gründen wird argumentiert, daß Wunder nicht als »Überwältigung von Naturgesetzen« beschrieben werden können (Wunder ist primär ein religiöser Begriff), insbesondere nicht, wenn man die Gottesvorstellung derer berücksichtigt, welche die Wunder als solche Überwältigungen betrachten. Und obgleich verschiedene Auffassungen über das Naturgesetz untersucht wurden (von denen Ramsey mehrere anzunehmen scheint), ist die These festzuhalten, daß eine solche Untersuchung an der Sache vorbeigeht, daß die Dichotomie zwischen dem Lauf der Natur und Gottes Handeln allzu simplistisch ist (Gott als immanent in der Welt) und daß, in Unkenntnis, was die Transzendenz Gottes für seine Immanenz impliziert, der Philosoph (und wahrscheinlich auch der Theologe) niemals in der Lage sein wird, solche Fragen zu beantworten wie »Konnte ein Kana-Wunder möglicherweise jemals geschehen?« Man kann sagen, daß, auch wenn Wunder niemals als »Übertretung des Ablaufs der Natur« betrachtet werden können, nichts von ihrem religiösen Wert verlorengegangen ist.

Man muß sich jedoch die Frage stellen, was für unsere Zeit die religiöse Funktion, welche die Wunder in der Vergangenheit gehabt haben, übernehmen könnte. Die Antwort besteht vielleicht darin, daß in unserer Zeit, die durch eine »Universalisierung des Symbols« gekennzeichnet ist, das Universum zu einer Erschließungssituation werden kann und zwar mit Hilfe von Techniken, die sich nicht auf Zwischenfälle beschränken (wie das bei den Wundern der Fall war). Zwei dieser Techniken werden angeführt: die Professionalisierung der Caritas (in früheren Zeiten bloß eine Randerscheinung) und die Tatsache, daß der Mensch infolge seiner technischen Macht sich in zunehmender Weise einer fundamentalen Abhängigkeit bewußt wird: der Abhängigkeit von der Existenz des Vorhandenen.

In einer abschließenden Bemerkung wird festgestellt, daß die Theologie aus der Kraft der Evokation lebt, ohne die der absolute oder qualifizierte Theismus, die Säkularisierung und die sprachliche Schizophrenie die Bühne beherrschen werden.

Im *dritten Kapitel* wird, nachdem die Bedeutung religiöser Sätze in den vorherigen Kapiteln erläutert worden ist, die Frage erörtert, warum der Gläubige seine angeblich sinnvollen Sätze äußert und welche Funktion sie erfüllen. Bekanntlich hat Austin die Funktion oder Rolle des Sprechaktes in der Kommunikationssituation seine »illokutionäre Kraft« genannt. Demgemäß verlagert sich die Untersuchung auf die Operatoren der illoktionären Kraft religiöser Aussagen.

Es ergibt sich aber schon bald, daß Austins Sprachphilosophie sich nicht ohne weiteres auf das religiöse Sprechen (oder auf sonst irgendein Sprachspiel) anwenden läßt. Probleme wie die Wahrheitsfrage performativer Sprache, die Systematisierbarkeit der Sprechsituation, das Verhältnis zwischen Satzbedeutung und Intention des Sprechers usw. scheinen eine tiefergehende Forschung zu erfordern. Zu diesem Zweck wird die Hilfe der Linguistik herangezogen, zumal in ihr seit kurzem (namentlich in der generativen Semantik von Ross, Lakoff und McCawley) den Operatoren der illokutionären Kraft besondere Aufmerksamkeit gewidmet wird. Eine richtige Einschätzung dieser neuen Richtung ist aber nur nach einer allgemeinen Einführung in die Transformationsgrammatik möglich. Diese wird dann auch gegeben, was nebenbei den Vorteil hat, daß so auch die Methode von Katz/MacCormac, nach welcher die religiöse Sprache durch semantische Strukturen und Selektionsbeschränkungen analysiert werden soll, lokalisiert und kritisch bewertet werden kann.

Das Endergebnis dieser sprachwissenschaftlichen Untersuchung erscheint zunächst jedoch unbefriedigend. Wenn in der generativen Semantik von »performativen Verben« gesprochen wird, handelt es sich weder um das, was Philosophen »Sprechakte« nennen, noch um Operatoren der illokutionären Kraft, sondern um den Rahmen von Wahrheitsbedingungen, den man höchstens das »illokutionäre Potential« nennen könnte. Weil aber dieses Potential zur Bedeutung des Satzes gehört, kann die Linguistik doch helfen, die Beziehungen zwischen Satzinhalt, Absicht des Sprechers und sprachlichen Konventionen zu verdeutlichen und so einige Probleme Austins einer Lösung nahezubringen.

In einem Schlußparagraphen wird das Ergebnis dann auf die religiöse Sprache angewandt. Einführend wird der Begriff »religiöse Erfahrung« schärfer umrissen (sie ist für gewöhnlich nicht Erfahrung Gottes, sondern Deutung der Welterfahrung) und ihrer Gestalt in unserer Zeit nachgegangen. Im christlichen Glauben wird die Welt als Geschichte von Gottes Handeln gedeutet, gipfelnd in der Auferweckung Christi. Die Tiefenstruktur des christlich-religiösen Sprechens ist somit: »Er ist (prototypisch) auferstanden!« Es ist die Absicht des Sprechers, diese Geschichte als auch seine Geschichte und als Deutung unserer Zukunft zu bezeugen und auf Gottes Handeln zu antworten. Programmatisch wird dann, mit Hilfe von Searles Theorie, der Rahmen von Konventionen, denen das religiöse Sprechen untersteht, angegeben. Schließlich wird aus dem Handlungscharakter des Sprechens und aus der Absicht des Gläubigen die Folgerung für den Inhalt religiöser Sätze gezogen. Demnach sind die Wortbedeutungen in einem Verhaltensmuster integriert, in einem Verhalten Gott gegenüber, der sich in der Geschichte zeigte. Das heißt letzten Endes, daß die religiösen Modelle Verhaltensmodelle sind. »Gott ist unser Vater« bedeutet dann, daß es recht und angemessen ist, sich Gott gegenüber so zu verhalten wie gegenüber einem Vater (und den Menschen gegenüber wie Brüdern und Schwestern). Ähnliches gilt von den anderen Modellen, mit welchen wir von Gott reden. Sogar wenn er »das absolute Sein« genannt wird (übrigens ein Modell, das kaum die Vorliebe des Gläubigen besitzen dürfte), soll nicht vergessen werden, daß dies zugleich das höchste Sein ist und so eine Erschließung artikuliert, die auch für unser Handeln bestimmend ist.

Die hier vorgelegte »Logik des theologischen Stammelns« scheint weitergehende Artikulierungen, besonders über Gottes Natur »an sich«, kaum zu erlauben. Aber vielleicht ist es ihr gelungen, den Zusammenhang zwischen religiösem Sprechen und menschlicher Erfahrung verdeutlicht und mehr in den Vordergrund gerückt zu haben.

NACHWEISE

Das erste Kapitel erschien als Zin en zinloosheid in het spreken over God, in Bijdragen 28 (1967) 33–62.

Das zweite Kapitel erschien als Wonder en Wetenschap: een taalanalytische benadering, in Tijdschrift voor Theologie 9 (1969) 11–54.

Beide Kapitel wurden bearbeitet und erschienen zusammen mit drei anderen Kapiteln in meinem Buch: Taalanalytische perspektieven op godsdienst en kunst (Antwerpen, De Nederlandse Boekhandel, 1970, 312 S.).

Die hier vorliegende Übersetzung ist von mir autorisiert worden.

QUELLEN- UND ABKÜRZUNGSVERZEICHNIS

Werke von Ian T. Ramsey

A   Authority of the Church To-day, in: Authority and the Church, Papers and Discussions at a conference between theologians of the Church of England and The German Evangelical Church, ed. by R. R. Williams, Theological Collections 5, London (S.P.C.K.) 1965, 61–82

B   Berkeley and the Possibility of an Empirical Metaphysics, in: New Studies in Berkeley's Philosophy, ed. by W. E. Steinkraus, London (Holt) 1966, 13–30

BI   Biology and Personality: Some Philosophical Reflections, in: Biology and Personality, Frontier problems in science, philosophy and religion, ed. by I. T. Ramsey, Oxford (Blackwell) 1965, 174–196

CD   Christian Discourse, Some Logical Explorations, Riddell Memorial Lectures 35, London (Oxford Univ. Press) 1965

CE   The Concept of the Eternal, in: The Christian Hope (G. B. Caird, W. Pannenberg a. o.), Theological Collection 13, London (S.P.C.K.) 1970, 35–48

CP   Contemporary Philosophy and the Christian Faith, Religious Studies 1 (1965–1966), 47–61

ET   Het Empirisme en de theologie, Wending 20 (1965–1966), 349–364

F   Freedom and Immortality, The Forwood Lectures in the University of Liverpool 1957, London (S.C.M.) 1960

IC   The Intellectual Crisis of British Christianity, Theology 68 (1965), 109–111, 353

MI   Miracles, An Exercise in Logical Mapwork
      1. Oxford (Clarendon Press) 1952
      2. In: The Miracles and the Resurrection, Some recent studies by I. T. Ramsey, G. H. Boobyer a. o., Theological Collections 3, London (S.P.C.K.) 1964 (Wir benützten Ausgabe 2.)

M   Models and Mystery, The Whidden Lectures 1963, London (Oxford University Press) 1964

MJ   Moral Judgments and God's Commands, in: Christian

Ethics and Contemporary Philosophy, ed. by *I. T. Ramsey*, Library of Philosophy and Theology, London (S.C.M.) 1966, 152–171

OBS On Being Sure in Religion, London (Univ. of London Press) 1963

P On the Possibility and Purpose of a Metaphysical Theology, in: Prospect for Metaphysics, Essays of metaphysical exploration, ed. by *I. T. Ramsey*, London (Allen and Unwin) 1961, 153–177

PG A Personal God, in: Prospect for Theology, Essays in Honour of *H. H. Farmer*, ed. by *F. G. Healy*, Digswell Place (Nisbet) 1966, 55–71

PR Paradox in Religion
1. Proceedings of the Aristotelian Society, Supplementary Vol. 33 (1959), 195–218
2. In: New Essays on Religious Language, ed. by *D. M. High*, New York (Oxford Univ. Press) 1969, 138–161 (Wir benützten Ausgabe 2.)

RES Religion and Science: A Philosopher's Approach
1. The Curch Quarterly Review 162 (1961), 77–91
2. In: New Essays on Religious Language, 36–53 (Vgl. PR. Wir benützten Ausgabe 2.)

RL Religious Language, An Empirical Placing of Theological Phrases
1. The Library of Philosophy and Theology, London (S.C.M.) 1957
2. New York, Macmillan Paperbacks Edition, 1963 (Wir benützten Ausgabe 2.)

RS Religion and Science: Conflict and Synthesis, Some Philosophical Reflections, London (S.P.C.K.) 1964

T Talking about God: Models, Ancient and Modern, in: Myth and Symbol, ed. by *F. W. Dillistone*, Theological Collections 7, London (S.P.C.K.) 1966, 76–97

Bemerkung

Die im zweiten Kapitel nur mit den Namen der Autoren oder den Titeln angegebenen Werke findet man auf S. 51–52, Anmerkung 1.
Für die des 3. Kapitels vgl. man S. 109, Anm. 1.

PERSONENREGISTER

189